콩으로 만들 수 있는 레시피에 대한
무한 상상, 영양 듬뿍 콩의 색다른 변신

All that BEANS

박지영, 최희경 공저

YoungJin.com Y.
영진닷컴

All that 두부:BEANS

ISBN 978-89-314-4593-0

독자님의 의견을 받습니다

이 책을 구입한 독자님은 영진닷컴의 가장 중요한 비평가이자 조언가입니다. 저희 책의 장점과 문제점이 무엇인지, 어떤 책이 출판되기를 바라는지, 책을 더욱 알차게 꾸밀 수 있는 아이디어가 있으면 이메일, 또는 우편으로 연락주시기 바랍니다. 의견을 주실 때에는 책 제목 및 독자님의 성함과 연락처(전화번호나 이메일)를 꼭 남겨 주시기 바랍니다. 독자님의 의견에 대해 바로 답변을 드리고, 또 독자님의 의견을 다음 책에 충분히 반영하도록 늘 노력하겠습니다.

이메일 : support@youngjin.com
주 소 : (우)153-803 서울특별시 금천구 가산동 664번지 대륭테크노타운 13차 10층
대표전화 : 1588-0789

STAFF

저자 박지영, 최희경 | **기획** 기획1팀 | **총괄** 김태경 | **진행** 정은진
표지 디자인 임정원 | **본문 디자인** 고은애, 최동연 | **사진** 윤세한

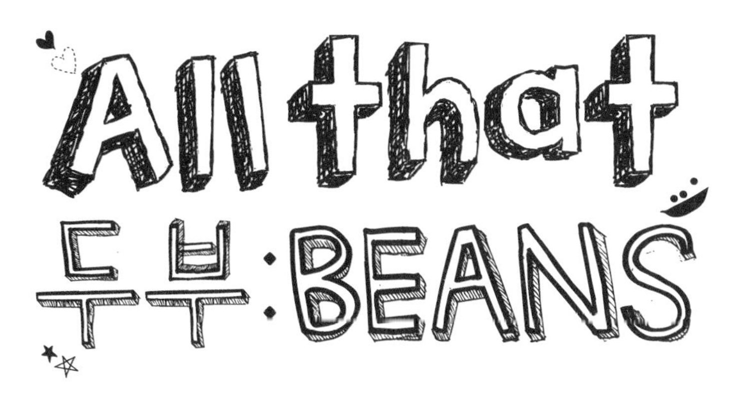

글, 요리 **박지영, 최희경**

현대인의 식생활은 동물성 단백질과 인스턴트식품에 너무 많이 노출되어 있습니다.

주부들의 가장 큰 고민 중 하나는 '내 가족들에게 좀 더 건강한 식재료로 맛있게 음식을 만들어주는 것'일 텐데요.

우리나라 음식 사상 중에서 '약식동원(藥食同源)'이라는 사상이 있습니다. '음식도 적당하면 약이 된다'는 말인데요. 예로부터 우리 선조들은 음식은 건강과 연결되어 있다고 생각한 것입니다.

저는 이 말을 항상 마음속에 간직하면서 요리를 합니다. 하지만 아무리 몸에 좋은 약이 되는 음식이라도 맛이 없으면 즐거운 마음으로 먹을 수가 없겠지요? 건강식은 맛이 없다는 편견을 가지는 경우가 종종 있습니다. 그래서 저는 '맛있게 먹으면서 건강도 챙기자'라는 생각으로 요리를 합니다.

예전부터 동물성 단백질을 대신할 가장 바른 먹거리는 두부, 콩과 같은 식물성 단백질 식품이 아닌가 합니다. 콩은 자라는 아이에게는 성장발육, 두뇌활동에 도움이 되고, 젊은 여성에는 건강한 다이어트에 도움을 주며, 중년여성에게는 갱년기와 골다공증을 예방하며 노인들에게는 항암효과, 심혈관질환, 노화, 치매 등을 예방해주는 훌륭한 식품입니다. 그렇지만 그 식재료를 이용해서 요리하는 법이 많지 않기 때문에 한정된 조리방법으로 만드셨던 분들이 많이 계실 겁니다.

'올 댓 두부'는 콩과 두부 및 콩을 가공한 식품들을 이용한 다양한 음식과 색다른 조리방법을 소개하고 있습니다.

건강에 좋은 식재료로 맛과 영양을 최대한 살리고 가족의 건강을 책임지는 주부들에게 꼭 필요한 책이 아닌가 생각이 듭니다. 요리 초보자도 누구나 맛낼 수 있는 정확한 레시피로 가족의 건강을 챙기는 것은 물론 콩 식품에 대한 새로운 조리법에 목말라 하시는 분들에게 도움이 되기를 바랍니다.

맛있지만 건강도 챙기고 또한 더 나아가 질병도 치료할 수 있는 요리를 만들고 싶은 것이 저의 목표이자 앞으로 제가 하고 싶은 일입니다. 조리사시험 감독을 하다 보면 여러 수험자들을 만나게 되는데요. 저의 합격 기준은 요리의 완성도도 중요하지만 조리 과정에서 얼마나 위생적으로

기본을 지키면서 하는가 입니다. 조리 후 완성품도 중요하지만 만들 때 어떤 마음가짐으로 기본을 지키면서 하는지가 더 중요하다고 생각됩니다. 음식에서도 만든 사람의 진심이 느껴지거든요.

언제나 따뜻한 밥상을 차려주시고 감사하는 마음과 사랑을 베풀어주신 부모님, 그리고 힘과 용기를 주는 든든한 나의 가족들 너무나 감사합니다. 항상 도움을 주시는 여러 교수님들, 이경철 팀장님, 저를 격려해 해주고 응원해주는 친구들, 뒤에서 든든하게 힘을 주시는 박세규, 김진국, 최영민 피디님, 그리고 여러모로 부족한 제게 책 작업을 함께 하자며 기꺼이 손 내밀어 준 최희경 선생님, 감사합니다. 항상 웃는 모습으로 진심과 배려를 느끼게 해 준 정은진 대리님, 멋진 사진을 찍어주신 윤세한 실장님 모두 감사합니다. 작업을 하는 내내 정말 행복했습니다.

몸에 좋은 건강한 식재료로, 건강에 도움이 되는, 맛있게 먹을 수 있는 요리를 모아서 실었습니다. 또한 누구나 맛낼 수 있는 정확한 레시피로 이 책을 접하는 모든 분들이 맛도 좋고, 건강한 요리를 접할 수 있는 좋은 참고자료가 되기를 진심으로 기원합니다.

저자_ 박지영

한국인의 식생활은 자연에 근원을 두고 있으며 채소와 육류 섭취는 8:2 비율이 이상적이라고 합니다. 하지만 경제 수준의 향상과 함께 육류 섭취를 필요이상으로 즐기고 외식, 즉석가공식품 섭취 등이 급격히 증가하면서 비만, 만성질환, 각종 성인병 등도 함께 증가하였습니다.

과거 우리 조상님들은 일반 서민들이 고기를 먹기가 쉽지 않았기에 단백질을 콩에서 얻었고, 겨울엔 구하기 어려운 채소를 대신해 추위에 강한 콩나물로 비타민 C를 섭취하였습니다. 또한 저장 기간을 늘리기 위해 콩을 발효하여 장류로 만들어 먹었다니 우리 조상님의 지혜에 늘 감탄을 합니다.

음식은 '다양한 식재료를 조화롭게 혼합하여 맛있고 영양이 높은 요리로 만드는 것'을 뜻합니다. 또 음식은 정성과 사랑, 그리고 즐거움이라고 생각합니다. 아무리 좋은 식재료라 할지라도 정성과 사랑이 결여되어 있고 만들 때의 마음이 즐겁지 못하다면 그 요리는 분명히 맛도 없을 것입니다. 음식엔 만드는 이의 에너지가 고스란히 담겨지기 때문입니다.

사람과 사람사이에도 조화가 필요하듯이 음식 또한 각 재료와 양념들이 조화롭지 못하면 훌륭한 맛이 나오지 않습니다. 5대 영양소와 5미가 어느 하나 도드라지지 않고 적절히 어우러졌을 때 몸이 즐거운 음식이 탄생하는 것이라고 생각합니다.

이 책은 과거 우리조상들이 지혜롭게 재료로 사용하던 콩을 주재료로 하여 여러 가지 요리를 만드는 것에 주안점을 두었고, 연구와 조리실험을 통해서 다양한 요리를 책에 담고자 하였습니다.

'콩으로 만든 음식은 대부분 맛이 없을 것이다'라는 편견을 없애기 위해 밥반찬, 일품요리는 물론 간식, 브런치, 샌드위치, 음료, 중식, 일식, 양식 등 다양한 분야와 조리법으로 폭넓게 다뤘습니다. 콩, 두부 요리에 관심을 갖고 이 책을 선택하신 분들께 실망을 드리지 않기 위해 최대한 정확하고 표준화된 레시피 제작에 심혈을 기울였고, 초보자들도 쉽게 이해할 수 있도록 기초부터 차근차근 정리하였습니다. 누구에게나 친근한 요리책이 되기를 바라는 마음과 더불어 건강을 책임지는 요리책이 되었으면 하는 바램입니다.

저에게 아낌없는 조언과 격려 그리고 때로는 약이 되는 충고로 저를 여기까지 성장하게 도와주신 여러 교수님들께 감사드리며 존경합니다. 또한 저를 믿고 따라와 주는 사랑하는 학생들에게

도 감사한 마음 전합니다.

책 작업을 하면서 파트너가 되어주었던 친언니 같은 박지영 선생님, 요리 사진을 잘 찍어주신 윤세한 사진작가님, 처음부터 끝까지 꼼꼼히 도와주신 정은진 대리님 오래 기억될 것입니다. 무엇보다도 지금까지 지켜주시고 인도하시는 하나님께 감사드리고 언제나 한결같은 마음으로 사랑해 주시는 부모님께 진심으로 감사하다는 말을 드립니다.

저자_ 최희경

이 책의 주인공은 '두부'와 '콩나물'이다. 한국인의 식탁에 가장 많이 오르는 것 중에서 열 손가락 안에 꼽히는 식재료라고 하는데 이의를 제기하는 사람은 극히 소수일 것이다. 그만큼 친숙하면서도 흔한 것이 '두부'와 '콩나물'일 것이다.

필자의 어릴 적 기억을 더듬어 보면 할머니께서는 늘 안방 한구석에 옹기시루를 앉혀 놓고 보자기로 덮어 콩나물을 기르셨고 아버지와 어머니께서는 큰 가마솥 한 가득 콩을 삶아서 자주 두부를 만드셨다.

이렇듯 한국인의 기억 저편에서부터 오랫동안 '두부'와 '콩나물'이 자리를 잡고 있다. 왜 한국인은 '두부'와 '콩나물'을 늘 식탁에 올렸을까?

그 의문의 해답은 두 가지로 나눌 수 있다. 첫 번째로는 '두부'와 '콩나물'의 주재료인 '식용 콩'의 원산지가 바로 한반도 북부와 만주지역이라는 데 있다. 여러 지역에서 출토된 유물을 살펴보면 청동기시대 이전부터 한반도 전역에서 콩 재배가 이루어졌음을 추론해볼 수 있다. 또, 춘추전국시대에 써진 [관자]라는 중국문헌에 보면 '식용 콩'은 한반도 북부에서부터 전해졌다고 기록되어 있다. 그만큼 한민족에게 콩을 먹는 식습관은 오래되었고 또 조리방법도 다양했다는 것을 알 수 있다. 그렇게 파생된 식재료가 '두부'와 '콩나물'인데 역사적 기록에 처음 등장하기 시작한 것은 삼국시대 말부터이니 그 이전부터 한민족은 먹기 시작했다고 추정해 볼 수 있다.

'두부'와 '콩나물'이 한국인의 친숙한 식재료가 된 두 번째 해답은 우리의 주식에 있다. 한민족은 예부터 쌀과 보리를 중심으로 여러 잡곡을 혼합한 '밥'을 주식으로 삼았다. 탄수화물이 풍부한 '밥'은 생명을 이어가는 데 중요한 음식이지만 '단백질'을 비롯한 필수 영양소가 부족하다는 것이 단점이었는데 이를 '콩'이 보충해 주었다. 그래서 한민족은 밥과 함께 먹을 수 있는 다양한 '콩'요리를 만들게 되었다.

'두부'와 '콩나물'뿐만 아니라 '장'을 담그는 것도 이러한 연유에서 시작된 것이다. 현대에 이르면서 '콩'은 더욱 흔해져 '두부'와 '콩나물'도 가격이 저렴해졌다. 서민의 밥상에서 부담 없이 먹을 수 있는 식재료로 등극하게 된 것이다.

이렇게 천 여 년 동안 우리 민족의 입맛과 건강을 책임진 '두부'와 '콩나물'의 조리방법도 그만큼 다양하게 파생되어왔지만 가만히 따져보면 쉽게 먹을 수 있는 요리는 몇 가지가 되지 않는다.

찌개나 국에 넣고 지지거나 무쳐내는 것이 대부분이다. 물론 두부는 강릉의 대표적인 토속 음식이 되었고 예부터 진주지역의 콩나물이 맛있다고 알려져 비빔밥과 콩나물국밥이 유명세를 타고 있지만 가정에서 보편적으로 쉽게 조리할 수 있는 음식은 생각보다 적다는 얘기이다.

이 책은 이러한 관점에서 시작됐다고 볼 수 있다. 책 제작에 참여한 요리연구가들은 진귀한 식재료들을 한데 모아 복잡한 요리법으로 뛰어난 요리내공을 뽐내는 것이 아니라 친숙하게 눈에 들어오는 '두부'와 '콩나물'에 시선을 모았다.

소박한 찬에서부터 온 가족이 둘러앉아 맛있게 먹을 수 있는 푸짐하고 정갈한 요리까지 한국인의 식탁에 부담 없이 올릴 수 있는 '두부'와 '콩나물'을 활용한 요리법을 다양하게 소개한다.

이 책은 집에서 요리를 해야만 하는 한국인, 요리하기를 좋아하는 한국인, 한식문화의 속살을 알고 싶어 하는 외국인(한글을 읽고 이해할 수 있는 수준의 외국인에 한해서다. 또한 필자는 언젠가 이 책이 여러 외국어로 번역돼서 출간되길 희망한다.)에게 쓰임새가 많은 책이라고 추천해주고 싶다.

또한 거창하게 학술적 차원까지 나가지 않더라도 한국 문화의 다양성을 확보하는 차원에서 이 책의 또 다른 가치가 있다고 확신한다.

SBS PD_박세규

Contents

Part. 3 두부

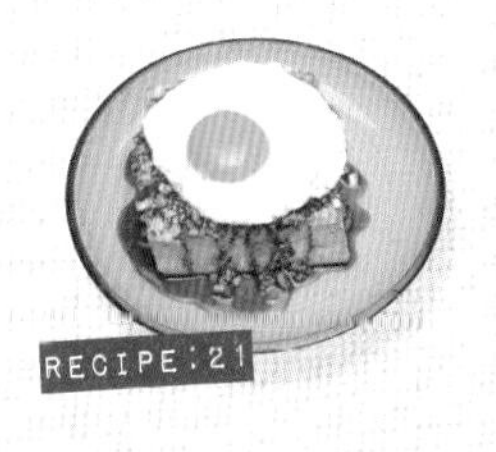

Part. 4 순두부&연두부

RECIPE:10

Part. 5 두유&콩가루&콩비지&유부&낫또&청국장&된장

RECIPE:24

1. 똑똑한 계량하기

맛있는 음식엔 정확한 계량이 중요하다. 식품이나 조미료를 정확히 계량하는 것은 음식을 맛있게 할 뿐만 아니라 항상 같은 맛을 유지하도록 도와주며 음식물 쓰레기 또한 줄일 수 있는 중요한 조리의 시작이다. 의심 없이 항상 변함없는 맛을 내기 위한 계량법을 소개하도록 한다.

● 계량스푼 & 컵

가루류(밀가루, 고춧가루, 설탕, 소금 등)를 계량할 땐 윗면을 평평하게 깎아 잰다.
액체(물, 간장, 맛술, 물엿 등)를 계량할 땐 윗면이 봉긋하게 올라올 정도로 잰다.

1

1 큰술 = 1테이블스푼 = 1Ts = 1Tablespoon = 15g = 15ml

2

1 작은술 = 1티스푼 = 1ts = 1teaspoon = 5g = 5ml

3

1 컵 = 1C = 1Cup = 200g = 200ml

조미료의 부피에 따른 무게

조미료	1 작은술	1 큰술	1 컵	조미료	1 작은술	1 큰술	1 컵
물, 식초, 술	5	15	200	깨소금	3	8	120
간장, 미림	6	18	230	꽃소금	5	15	200
된장, 고추장	6	18	230	굵은 소금	4	12	160
고춧가루	2	6	80	설탕	3	9	120
식용유, 버터	4	13	180	후춧가루	3	9	120
밀가루	3	8	100	다진 마늘, 파 생강	3	9	120
녹말가루	3	9	10	마요네즈	5	14	190
빵가루	1	3	40	케첩	6	18	240

(참고 : 안선정.김은미.이은정 공저 / 새로운 감각으로 새로 쓴 조리원리 / 백산출판사 / 2012 / p15)

2. 똑똑한 육수내기

한기가 스며드는 추운 겨울날에도, 비가 주룩주룩 내린 습한 날에도 떠오르는 것은 한국인이라면 누구나 좋아하는 뜨끈한 국물요리. 칼칼하면서도 깊이 있는 국물요리를 좌우하는 것은 당연하게도 육수이다. 조미료만으로는 낼 수 없는 맛을 높여주는 여러 가지 육수 만드는 법을 알아보자.

● 다시마 국물

- 은은하면서도 깔끔한 감칠맛을 주는 다시마 국물은 국, 찌개, 전골 등 다양한 국물요리에 무난하게 사용할 수 있다.
- 다시마는 오래 끓이면 끈끈한 점액질이 나와 텁텁한 맛을 날 수 있다.
- 도톰하고 하얀 분질이 많이 묻어 있은 다시마가 상품이다.

국물 내기 방법

: 다시마의 겉면의 하얀 분질을 닦고 찬물에 하루 저녁 담가 자연스럽게 우린다. 시간이 없을 땐 찬물에 담가 끓으면 불을 바로 끄고 10분간 우린다.

● 조개 국물

- 시원하면서도 단맛이 나는 육수이다. 조개는 해감을 한 후 끓여야 흙이 씹히는 낭패를 보지 않는다. 바닷물 염도의 물에 조개를 넣고 검은 봉지 등을 덮어 약 30분 정도 해감한 후 사용한다.
- 봉지 조개는 손가락으로 가볍게 봉지를 쳤을 때 조개의 입이 움직이면 살아 있는 것으로 신신도가 높다.

국물 내기 방법

: 찬물에 조개와 다시마를 넣어 끓으면 다시마를 건져내고 조개가 입을 벌리면 면보에 맑게 거른다. 오래 끓이면 조개살이 질겨지니 주의한다.

● 멸치 국물

- 한국요리에 가장 자주, 오래 전부터 사용되는 육수이다. 된장, 고추장, 고춧가루 등 양념을 사용하는 요리에 어울리며 밀가루로 만드는 수제비, 칼국수, 온면 등의 요리에도 쓰인다.
- 국물용 멸치는 표면에 윤기가 나고 머리가 잘 붙어 있으며 비린 냄새가 나지 않는 것이 좋다.

국물 내기 방법

: 멸치의 내장을 떼어내고 냄비에 약불로 20초간 볶다가 찬물, 다시마를 부어 끓으면 다시마는 건져내고 15분간 중불로 더 끓인 후 면보에 맑게 거른다.

● 가다랑어 국물

- 가쓰오부시라 부르기도 하는 가다랑어는 일본 국물 요리에 사용되기 시작했지만 요즘엔 한식 국물 요리에도 자주 사용되고 있다. 고등엇과의 물고기인 가다랑어를 가공하여 만드는데 인공조미료를 사용하지 않아도 입안을 감싸는 듯한 감칠맛을 주어 국, 전골 맛을 한층 더 좋게 한다.
- 덜 말려져 있거나 보관 시 수분, 공기를 밀폐하지 않으면 고약한 냄새나 탁한 진갈색을 띄므로 고를 때 주의하고, 구매 후 수분 공기에 유의해 보관한다.

국물 내기 방법

: 찬물에 다시마를 넣고 끓으면 불을 끄고 가다랑어포를 넣어 10분간 우린다. 진한 보리차 색깔이 나면 면보에 맑게 거른다.

● 소고기 국물 내기

- 진하고 구수한 국물을 원할 땐 소고기 육수를 사용한다. 고기 부위는 양지머리나 사태를 이용하는데 기름기가 없는 부위로 해야 국물맛이 깔끔하다.
- 선홍색을 보이며 누런 기름이 없는 소고기를 고른다.

국물 내기 방법

: 소고기는 덩어리 채로 찬물에 담가 핏물을 제거한 후 끓는 물에 한번 데친다. 찬물에 대파, 양파, 마늘, 통후추, 무를 넣고 끓으면 데친 소고기를 넣은 후 40분간 중불로 끓인 후 면보에 맑게 거른다.

● 채소 국물

- 다양한 요리에 사용하여도 튀지 않아 좋다. 각종 채소의 향이 식욕을 자극하여 소스의 기본 물이나 밥물로 사용하여도 좋다.
- 채소는 표면이 상처가 나거나 무르면 좋지 않다. 싱싱하지 않은 채소로 국물을 내면 탁하고 때론 쓴맛이 나기도 한다. 무, 당근은 껍질째 사용해야 영양소를 충족시킬 수 있고 샐러리는 섬유질을 제거해야 맛이 더 잘 우러나온다.

국물 내기 방법

: 찬물에 채소 국물 재료를 넣고 끓으면 다시마를 건져내고 중불로 45분간 끓인 후 맑은 녹차 색이 나면 면보에 거른다.

● 북어 육수

- 북어 육수는 진하게 우려내면 각종 국물 요리에 시원하면서도 감칠맛을 준다. 부대찌개, 된장찌개, 미역국 등에 활용하면 좋다.
- 갈라진 머리 부분이 탁한 갈색을 띠고 비릿한 냄새가 나는 북어는 좋지 않다. 황금빛깔을 띠고 은은한 북어 특유의 향이 나면 상품이다. 국물 맛 내기엔 머리를 사용하는 것이 더욱 좋고, 대파 뿌리를 함께 넣어서 우려내면 좀더 시원한 맛을 낼 수 있고 감기 예방에도 좋다.

국물 내기 방법

: 북어머리는 젖은 키친타월로 닦아 이물질을 제거하고 파뿌리는 찬물에 20분간 담가 흙 등을 털어낸다.
찬물에 북어머리와 무, 대파 뿌리, 건고추를 넣어 끓으면 30분간 중불로 우려 낸 후 면보에 거른다.

● 건새우 육수

- 건새우 육수는 감칠맛뿐만 아니라 단맛을 내는 국물이다. 시금치국, 콩나물국, 아욱국 등에 넣으면 풋내를 중화시켜준다.
- 새우는 진 분홍빛을 띠며 윤기가 나는 것이 좋다. 만져 보았을 때 끈적하고 비린내가 내면 좋지 않은 것이다.

국물 내기 방법

: 건새우를 냄비에 볶아 20초 정도 지나 진한 새우 냄새가 나면 불을 끄고 찬물, 다시마를 넣어 끓으면 중불로 20분간 더 끓여서 면보에 맑게 거른다.

3. 똑똑한 양념 고르기

요리는 손맛이라고 하지만 적절한 양념과 식재료가 있다면, 더 손쉽게 맛을 낼 수 있겠죠. 이 책에 포함된 레시피들을 만들 때 함께한 맛을 더해주는 식재료들을 알려드립니다.

이 책에 실린 요리에 들어간 간장, 된장, 연두는 샘표에서 협찬 받아 사용되었습니다.

이 책에 실린 요리에 들어간 참치액은 한라참치액에서 협찬 받아 사용되었습니다.

이 책에 실린 요리에 들어간 소금은 해여름에서 협찬 받아 사용되었습니다.

천일염

: 천일염은 염전에서 바닷물을 증발시켜 만든 소금으로 천연 미네랄이 풍부하며 나트륨함량은 적어 일반 정제염보다 건강에 좋다.

참치액 / 고추랑 참치액

: 훈연참치 추출 후 다시마, 무, 감초 등을 넣어 만든 다용도 액상 조미료인 참치액은 가정에서 따로 육수를 내지 않고도 맛을 낼 수 있다. 국물요리는 물론 무침, 김치 등에도 쉽게 맛을 낼 수 있다. 기존의 참치액에 감칠맛은 물론 매운맛과 시원한 맛을 더한 고추랑 참치액은 칼칼한 맛을 즐기는 사람들에게 알맞다.

연두(순) / 연두

: 연두(순)은 맑은 국물요리에 넣으면 본연의 맛을 해치지 않으면서도 순하고 담백한 맛이 난다. 연두는 찌개나 전골 등에 넣으면 국물 맛을 진하게 하고 깊은 맛을 내준다.

간장

: 간장은 탈지대두와 소맥을 사용하여 만든 메주를 소금물에 담가 우려낸 뒤 그 국물을 떠내어 솥에 붓고 달여서 만든다 소금에 비해 나트륨이 적어, 무침류, 국물 류의 요리에 사용한다.

된장

: 된장은 메주로 간장을 담근 뒤에 장물을 떠내고 남은 건더기로, 가열 처리하지 않은 전통방식으로 만들면 고초균이 살아 숨 쉬어 더욱 구수한 맛을 내준다.

고추장

: 고추장은 쌀·보리 따위로 질게 지은 밥이나 떡가루 또는 되게 쑨 죽에, 메줏가루·고춧가루·소금을 넣어 섞어서 만들며, 한국 음식 특유의 맵고 칼칼한 맛을 내 준다.

흑초

: 현미를 발효해 만든 식초인 흑초는 현미의 영양성분이 고대로 담겨 있어, 필수아미노산, 미네랄 등 건강성분이 일반식초에 비해 월등히 높다.

올리브유 / 포도씨유

: 발연점이 높고 기름흡수가 적은 포도씨유는 튀김 요리에 적당하다. 올리브유는 올레인산이 70% 이상 함유되어 콜레스테롤 수치가 높은 음식을 먹을 때 함께 사용하면 건강에 도움이 된다.

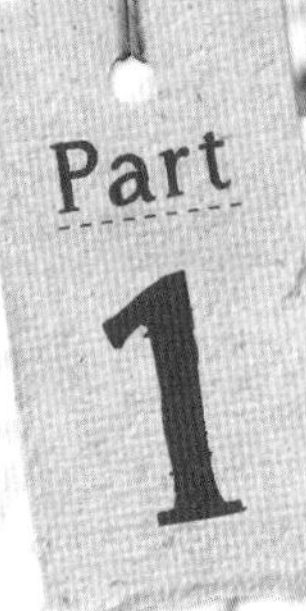

콩 두부의 모든 것

CONTENTS

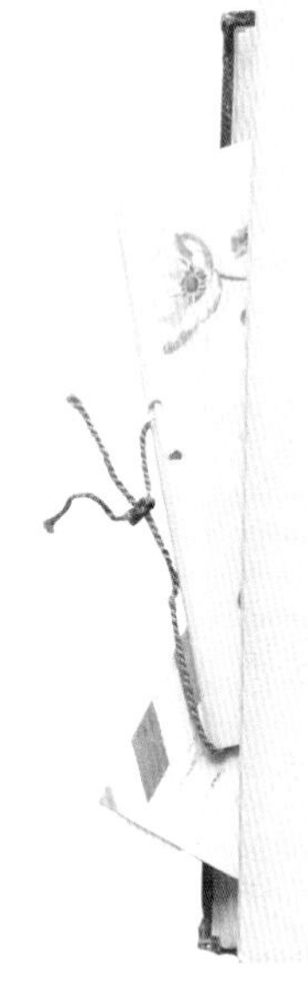

콩 [bean]
식물 | 브리태니커
콩과(— Fabaceae)에 속하는 식물의 씨 또는 꼬투리.

두부 [bean curd, 豆腐]
음식 | 브리태니커 및 표준국어대사전
콩으로 만든 식품의 하나. 물에 불린 콩을 갈아서 짜낸 콩 물을 끓인 다음 간수를 넣어 엉기게 하여 만든다.
두부는 6~8%가 단백질이며 칼슘·칼륨·철분 함량이 높다. 제조과정 중 부산물로 생기는 비지와 여액도 먹을 수 있다. 또한 두유의 상층부에 형성되는 피막은 걷어내어 판 위에서 말린 다음 야채요리에 쓴다. 석쇠구이·튀기기·끓이기·볶기·찌기 등의 요리법이 있으며 그냥 날것으로 먹기도 한다.

▸ 브리태니커 사전

콩, 콩나물, 두부, 유부, 된장, 쌈장, 청국장, 유부 등. 콩과 콩으로 만든 식재료로 한 상을 차린다면 한 상 가득 차릴 수 있을 것 같습니다. 비단 콩뿐 아니라, 콩을 원료로 만든 두부부터 시작해서 위에 언급한 식재료로 만든 요리들까지 센다면, 우리 밥상에 콩과 두부가 올라오지 않는 날이 하루라도 있을까요? 우리에게 익숙하고 친숙한 콩과 두부의 모든 것에 대해 알아보고자 합니다.

1. 콩과 두부의 영양소 이야기

밭에서 나는 고기라 불리기도 하는 콩은 고기와 비견될 수 있을 정도로 단백질이 많이 함유돼 있다는 것은 많이 알려질 사실입니다. 단백질 외 콩과 콩제품에는 어떤 영양소들이 있는지 알아봅시다.

● 대두 단백질

21세기 식량 문제 해결을 위한 건강한 단백질 자원으로서 콩의 가치도 이미 여러 연구를 통해 알려지고 있다. 대두 단백질은 동물성 단백질보다 소화 흡수가 잘된다. 단백질 효율은 우유, 달걀흰자와 같으며 쇠고기보다 높다. 소화흡수율이 높다는 것은 단백질효율이 우수하다는 것이다. 대두 단백질은 빠르게 소화 흡수되어 근육을 성장, 발달시킨다. 또 몸속의 나쁜 콜레스테롤 수치와 함께 지방 수치도 낮추어 체지방이 감소하도록 한다. 대두 단백질은 혈중 콜레스테롤 수치를 낮추는 작용을 한다. 또 혈관을 튼튼하게 하고 혈액을 맑게 하는 효과가 있다. 콩의 다른 성분인 대두 사포닌에도 혈액 속의 과다한 콜레스테롤이나 지방 성분을 흡착해 배설하는 기능이 있다.

● 이소플라본

콩에는 식물성 에스트로겐이라고도 불리는 이소플라본이 들어 있다. 그 중에서 대두에 많이 들어 있는 다이드제인과 제니스테인은 식물성 에스트로겐 효과가 가장 큰 대표적인 이소플라본이다. 이소플라본은 엔도로핀, 세로토닌 같은 뇌 신경전달 호르몬 생성을 돕고, 칼슘흡수율이 높아지도록 해 골다공증 예방에 좋다. 또 항암효과가 뛰어나고 여성호르몬 에스트로겐이 부족한 폐경이 여성들에게 발생하기 쉬운 갱년기 질환의 억제 효과 및, 미안, 미백효과 등이 기대된다.

대두에서 추출한 이소플라본은 식물성 물질로 부작용이 없어 인체에 안전하다. 에스트로겐의 표적 장기는 유방, 자궁, 난소 및 고환과 전립선을 포함한 여성 및 남성의 생식기관들과 뇌이며, 뼈의 유지와 심혈관계에 생리적으로 매우 중요한 역할을 한다.

갱년기 여성에게 에스트로겐을 보충시키기 위해 에스트로겐 호르몬 제제를 사용하면 유방암, 자궁암 등의 발병률이 높은 것으로 알려졌다. 특히 가족 중에 유방암, 자궁암 병력이 있는 사람은 에스트로겐 부작용이 나타나지 않는 식물성 이소플라본을 복용하는 것이 좋다. 이소플라본은 에스트로겐과 비슷한 구조로 되어 있어, 여성호르몬의 활성을 조절하거나 대체하는 작용을 한다. 여성의 갱년기 증상을 개선하고 폐경기 여성의 뇌 노화 방지에 도움을 주며 골다공증을 예방하는 효과도 크다.

콩 음식을 즐겨 먹는 동남아시아인들은 서양인보다 유방암과 전립선 암 발생이 낮다. 미국에서는 이미 오래 전부터 콩 이소플라본을 건강기능성 식품으로 인정하고 있으며, 국내에서도 2009년 9월에 개별 인정형 건강식품으로 등록되었다.

하루에 이소플라본 50~100mg(콩 45g 또는 두부 한모) 정도를 섭취하면 에스트로겐 활성이 일어나 갱년기 증상을 극복할 수 있다고 한다.

● 레시틴

레시틴은 인지질의 일종으로 물과 기름에 다 잘 녹는 특성이 있다. 레시틴은 혈관 내의 콜레스테롤이나 기름기 성분을 흡착해 배설시켜서 혈관에 노폐물이 끼는 것을 막아준다.

대두 레시틴은 혈액속의 중성지방을 없애주며 혈소판 응집을 억제하여 동맥경화를 예방하는 역할을 한다. 혈소판 응집도 효과적으로 감소시켜 혈전 생성에 의한 동맥경화의 진행 위험성을 낮추는 것으로 나타났다. 대두 레시틴은 육식과 인스턴트,가공식품을 주로 먹고 스트레스가 많은 사람,체력이 떨어지는 사람, 아름다운 피부를 유지하고 싶은여성, 술을 좋아하는 사람, 담배를 자주 피우는 사람, 수험생이나 발육이 왕성한 청소년,불임증 여성이나 임산부, 운동량이 많은 사람에게 필요한 성분이다.

● 대두 사포닌

대두 사포닌에는 혈액 속의 과다한 콜레스테롤이나 지방 성분을 흡착해 배설하는 기능이 있다. 또한 대두 사포닌이 결장암 세포를 사멸시킨다는 연구결과도 보고된 바 있다. 사포닌 함량이 높은 대두나 대두 가공식품을 하루에 한 번 이상 꾸준히 섭취하는 경우 결장암에 대한 항암 효과가 나타났다. 대두 사포닌은 자가분해를 촉진함으로써 암세포를 죽이는 것으로 나타났다. 콩에서 분리한 대두 사포닌의 항비이러스성 효과를 연구한 결과, 인플루엔자 바이러스와 면역감소 바이러스의 증식을 억제하였다. 이러한 작용은 대두 사포닌이 바이러스를 직접 죽이는 효과를 통하여 나타난다.

● 대두 올리고당

콩에는 라피노즈와 스타키오스라는 올리고당이 함유되어 있다. 대두 올리고당은 콩의 유청에서 추출한 천연성분으로 설탕보다 단맛은 약 70% 이하로 낮고 열량은 설탕의 절반이다. 대두 올리고당은 많이 섭취해도 살이 찔 염려가 없다. 또한 대두 올리고당은 소장 점막에서 이당류 분해효소활성을 억제하여 혈중 콜레스테롤과 중성지방을 낮추는 효과가 있는 것으로 알려져 있다. 올리고당이 설탕과 달리 췌장의 인슐린 분비를 자극하지 않고 혈당증가 현상도 나타나지 않는 것은 이 때문이다. 올리고당은 장의 미생물의 에너지원으로 이용되고, 또한 질소를 대장으로 옮긴다. 또 대장 말단에서 대장암의 위험인자로 여겨지는 암모니아나 단백질 분해 산물의 형성을 감소시키는 유익한 역할을 하는 것으로 알려져 있다.

● 안토시아닌

2008년 미국 국립보건원은 안토시아닌이 심혈관질환, 당뇨, 관절염 및 암을 예방하는 효과가 있다고 발표하였다. 이는 안토시아닌 성분이 강한 항산화 효과 및 항염증 활성을 가지고 있어서이다. 검은콩에는 이러한 안토시아닌 성분이 많이 함유되어 있다. 검은콩 껍질 1g당 안토시아닌 성분이 약 15mg 정도이며, 품종에 따라 조금씩 차이가 있다. 최근 블랙푸드에 대한 소비자 관심이 증가함에 따라 검은콩을 소재로 한 다양한 식품 및 제품이 출시되고 있다.

● 콩의 암예방 효과

사포닌에는 세포가 돌연변이 해 암세포로 변하는 것을 막는 기능이 있다. 또 육류 등을 지나치게 섭취하면 나이가 들어감에 따라 암의 원인인 과산화지질이 생길 수 있는데 대두사포닌은 과산화지질을 분해하여 암의 근원을 차단한다.
대두에는 여러 영양성분뿐 아니라 식이섬유도 풍부하다. 식이섬유에는 장내 세균에 의해 만들어져 발암성을 갖는 유해물질을 몸 밖으로 배출하는 기능이 있다. 식이섬유는 물에 녹는 수용성과 물에 녹지 않는 불용성이 있는데 대두 식이섬유는 불용성으로, 소장의 콜레스테롤을 흡착하여 체외로 배출하는 기능이 뛰어나다.

● 콩의 당뇨병 완화 효과

당뇨병은 인슐린 기능이 떨어져 혈액 속의 당분을 조절하지 못해서 생기는 병이다. 당뇨병 환자는 식이조절을 통해 혈당농도가 급격하게 높아지지 않도록 주의해야 한다. 콩 속에 들어 있는 식이섬유는 탄수화물과 포도당이 혈액 속으로 흡수되는 속도를 늦춘다. 콩에 들어 있는 피니톨이란 성분은 인슐린에 영향을 끼쳐 혈당을 내리는 효과가 있다. 당뇨와 관련된 대표적인 합병증은 신장, 심장, 눈에서 발생한다. 대두 단백질은 단백뇨, 조직손상, 고지혈증 증세를 완화하는 것으로 보고 되었다. 당뇨병환자의 3분의 1은 신부전 합병 증세를 나타내는 데 대두 단백질은 이를 완화하는 효과가 있다.
콩에는 여성호르몬인 에스트로겐과 유사한 이소플라본이 들어 있어 유방암, 골다공증 예방에 탁월하다. 또 안토시아닌, 사포닌 등 각종 기능성 물질이 풍부하여 당뇨, 심혈관 질환 같은 생활습관병 예방효과도 뛰어나다. 특히 검은콩과 녹색콩은 노화를 방지하는 안토시아닌, 백내장 예방, 치료에 효과적인 루테인이 많이 함유되어 있다.
검은 콩은 예로부터 약콩으로 이용해 왔는데, 최근에는 항당뇨제로 주목 받고 있는 이노시톨도 함유된 것으로 밝혀져 당뇨예방 효과도 기대하게 되었다.

● 뼈와 관절을 튼튼하게 하는 콩

대두에는 칼슘이 풍부하고, 대두 단백질은 칼슘배설을 촉진시키는 황 함유 아미노산이 적고, 알칼리를 생성시키므로 칼슘의 흡수에 도움을 준다. 따라서 콩을 많이 먹으면 뼈를 건강하게 유지하며 골다공증을 예방하고 치료할 수 있다.

골다공증은 특히 여성에게 많이 발생한다. 가장 큰 원인은 임신, 출산으로 칼슘 소비량이 많아지고, 여성호르몬인 에스트로겐이 갱년기 이후에 급격히 감소하기 때문이다. 이소플라본은 골격대사에서 에스트로겐과 유사한 활성을 가져 뼈의 재흡수를 저해할 뿐만 아니라, 뼈를 만드는 골아세포를 증가시켜 골다공증 예방 및 치료효과를 나타낸다. 대두 단백질에 함유된 이소플라본은 에스트로겐처럼 골세포가 성장하는 것을 돕고, 칼슘이 체외로 빠져 나가는 것을 막아주며 뼈를 만드는 조골세포를 활성화해 골형성과 골밀도의 증가를 촉진한다. 또한 칼슘은 근육 수축에 관여하므로 대두 단백질 섭취는 칼슘 손실을 막고 칼슘 부족으로 오는 운동 중 부상을 예방할 수 있다. 또한 식물성 식품에 들어있는 철분은 흡수율이 떨어지는 데 비해 대두의 철분은 흡수율이 높은 것으로 알려져 있다.

한눈에 보는 콩의 건강작용

질환	기능성분	효능	비고
심혈관	이소플라본	저밀도 지방 단백질(LDL) 감소/고밀도 리포단백질(HDL) 증가, 관상동맥 보호	
	레시틴	과다한 콜레스테롤 배출	
	사포닌	심혈관 보호작용	
	안토시아닌	관상동맥성 심장병 예방효과	
	테르카판	저밀도 지방 단백질(LDL) 감소	콩잎
암	이소플라본	유방암, 전립선암 등 항암 예방 효과	
	안토시아닌	결장암, 피부암, 폐암 억제활성	
	사포닌	결장암 세포 사멸, 과산화지질 분해	
	식이섬유	장내 유해물질 배출	
당뇨	대두단백질	신장 기능 이상 증세 완화, 뇨단백과 저밀도 지방 단백질(LDL) 감소	
	이노시톨	인슐린 신호전달체게관련하여 혈당 조절함	
	안토시아닌	알파-글루코시데이즈 억제 활성	
뼈, 관절	이소플라본	골다공증 개선, 칼슘 흡수에 도움을 줌	
	대두단백질	골다공증 예방	
비뇨기	이소플라본	전립선비대증에 억제효과	
갱년기 장애	안토시아닌	항산화 및 노화방지	
	폴리페놀류	항산화 및 노화방지	
	이소플라본	갱년기 증상, 폐경에 따른 심혈관계 질환 및 골다공증의 개선에 도움을 줌	
시력	루테인	백내장 예방 및 치료	
	안토시아닌	시력 개선에 도움을 줌	
피부	레시틴	피부병 예방	
	이소플라본	여성호르몬 조절로 피부에 영향을 줌	

2. 콩과 콩 제품 이야기

콩 자체로도 영양소가 듬뿍이지만 다양한 방법으로 활용 가능한 콩의 친구들에 대해 알아봅시다.

● 콩나물

콩을 물이 잘 빠지는 용기에 담아 그늘에 두고 물을 주어 기른 것이 콩나물이다. 외국인들에게 콩나물은 매우 낯선 음식이다. 세계에서 콩나물은 우리나라만 먹는다고 해도 틀린 말이 아니다.
콩나물은 콩이 가지고 있는 유용한 영양성분을 모두 가지고 있을 뿐만 아니라, 발아과정에서 비타민 C를 비롯한 각종 비타민이 콩과는 비교가 안 될 정도로 많이 생성된다. 콩나물은 곡물로서의 콩의 영양소뿐 아니라 채소의 영양성분도 함께 가지고 있기 때문이다.
콩나물 머리에는 비타민 B1, 몸통에는 비타민 C, 그리고 뿌리로 내려 올수록 아스파라긴이 풍부하다. 따라서 콩나물은 굳이 다듬을 필요 없이 깨끗이 씻어 콩나물 전체를 그대로 먹는 것이 영양적으로 가장 좋다.

콩과 콩나물의 영양성분 비교

영양성분	콩	콩나물
단백질(g)	44.00	42.90
지방(g)	18.80	10.20
탄수화물(당질)	23.00	29.60
탄수화물(섬유)	3.70	5.10
회분(g)	6.20	8.20
칼슘(mg)	135.00	327.00
인(mg)	522.00	500.00
철분(mg)	8.10	8.20
비타민 A(I.U)	11.00	1786.00
베타카로틴(	6.10	1071.00
비타민 B1(mg)	1.10	1.53
비타민 B2(mg)	0.32	1.33
비타민 B3(mg)	3.40	0.20
비타민 C(mg)	–	163.00

자료 : 김길환, 「콩, 두부와 콩나물의 과학」 한국과학기술원

● 두부

두부는 콩을 갈아서 거른 콩물에 응고제를 넣어 굳힌 것으로 대표적인 콩 가공식품이다. 고단백질식품의 대명사로 일컫는 두부는 단백질로만 구성되어 있다고 오해 받기 쉽다. 그러나 두부는 단백질뿐만 아니라, 지방과 탄수화물도 고루 함유하고 있다. 더욱이 두부에는 콩에 있는 이소플라본이나 대두 사포닌처럼 기능성이 뛰어난 생리활성 물질도 적당량씩 두루 들어 있다.

두부도 여러 종류가 있는데, 응고시키는 과정에서 틀에 누르지 않고 순물과 함께 응고된 것이 순두부, 틀에 눌러서 물기를 빼고 굳힌 것이 모두부, 순물과 함께 틀에 넣어 굳힌 것이 연두부다. 최근에는 콩을 통채로 가루 내어 만든 전두부도 판매되고 있다. 전두부는 일본에서 들어온 것으로, 콩 전체를 쓰므로 온전할 전(全)을 써서 전두부라 부른다. 비지가 발생하지 않고, 식이섬유의 함량이 높다.

두부의 영양성분 비교

수분(g)	단백질(g)	지방(g)	탄수화물(g)		회분(g)
82.8	9.3	5.6	1.4(당질)	0.29(섬유소)	0.9

● 두유

1970년대 들어 가공식품으로 두유가 판매되면서 우리나라에 두유가 소개되었다. 모유와 우유에 함유된 유당을 소화하지 못하는 유아들을 위해 콩을 이용한 대용식을 연구했는데 이것이 판매용 두유의 시작이다. 이후 콩의 영양이 알려지면서 여러 업체에서 다양한 두유 식품이 개발, 판매되고 있다.

두유, 우유,모 유의 수분함량은 거의 비슷하다. 그러나 셋 중에서 단백질 함량이 제일 높고, 칼로리는 가장 적은 것이 두유다. 칼슘, 나트륨 함량은 떨어지지만 지방, 탄수화물, 회분 등은 큰 차이가 없다. 게다가 두유는 우유의 열 배가 넘는 철분을 함유하고 있어 철분 보충식으로 좋다.

● 된장

된장은 메주로 간상을 담근 뒤에 장물을 떠내고 남은 건더기로 된장을 언제부터 먹었는지 확실히 알 수는 없지만 중국의 〈삼국지〉 위지 동이전에는 "고구려가 장양(醎釀 : 장 담그기 · 술 빚기) 등의 발효성 가공식품 제조를 잘한다"는 기록이 있다. 따라서 삼국시대 이전부터 된장 · 간장을 담가 먹다가 삼국시대에 들어오면서 장 담그기의 기술이 발달한 것으로 추정할 수 있다.

콩은 곰팡이와 만나면 맛과 영양이 진화한다. 발효과정에서 콩에는 없던 비타민 B, 비타민 K, 폴리글루탐산, 고분자핵산 같은 물질들이 생성된다. 비타민 B1은 50%나 증가하는데, 피로회복과 신경안정에 도움이 된다. 에너지 대사율을 높이는 비타민 B2는 3배 가까이 증가하고, 빈혈을 예방하는 것으로 알려진 비타민 B12가 새로 만들어진다.

콩은 바실루스균과 곰팡이 등에 의해 자연 발효된다. 햇볕을 쬐거나 달이고, 숯이나 소금 등을 넣는 것, 발효 중에 생성되는 갈색물질이나 암모니아 같은 모든 과정이 자연발효 중 혹시 나타날 수 있는 독성물실을 다 제거하는 효과가 있다.

된장은 발효와 숙성에 의해 콩의 영양소와 함께 건강에 좋은 새로운 영양성분이 더해진다. 된장 색을 내는 멜

라노이딘 성분은 항산화 효과가 뛰어나며 인슐린의 분비를 원활하게 하여 당뇨를 개선한다. 된장의 또 다른 성분인 히스타민-류신 아미노산은 생리활성이 뛰어나다. 두통으로 말미암은 통증을 줄이고 혈압을 낮춰준다. 또한 콜레스테롤을 제거하고 혈관을 탄력 있게 하는 효과가 있다.
된장에는 강력한 항염증작용을 하는 필수지방산 중 하나인 리놀렌산도 많이 들어 있고 피부보호 지질층을 구성하는 성분도 포함되어 아토피에 탁월한 효과가 있다. 특히 전통 된장이 개량 된장보다 항암효과가 높다는 연구 결과도 있다.

● 청국장

발효된 청국장에는 콩보다 여덟 배나 많은 항산화물질이 들어 있다. 대두가 발효할 때 생기는 비타민 K는 칼슘이 뼈에 축적되도록 돕는 기능이 있으므로 청국장을 매일 섭취하면 골다공증을 막을 수 있다.
청국장은 항암효과가 뛰어나고 혈압을 낮춰준다. 또한 변비예방에도 좋고 다이어트에도 도움이 되는 우리 고유의 뛰어난 식재료이다.

● 낫또

낫또는 우리의 청국장과 마찬가지로 볏짚의 바실러스균을 이용해 발효시킨 것으로 끈적끈적한 점액이 콩의 표면을 싸고 있으며 그것을 저으면 저을수록 부피가 점점 더 커지고 더욱 끈적끈적해지는 일본의 보편화된 발표식품이다. 낫또의 원료인 콩은 단백질과 지방, 미네랄 등이 균형 있게 함유되어 있어 심장병, 골다공증 예방, 정장작용, 노화억제, 비만을 예방하는 효능을 가지고 있다.

3. 콩과 두부에 대한 이런 저런 궁금증

쉽게 알려주지 않은 콩에 대한 사소해 보이지만 중요한 콩에 대한 궁금증 들에 대한 해답을 정리해 보았다.

● 청국장과 낫또의 특징과 차이점

미국의 월간지 〈헬스 Health〉는 2006년 세계 5대 건강 식품으로 김치와 함께 일본의 낫또를 선정하여 발표하였다. 그렇다면 콩 발효식품인 낫또와 청국장은 어떤 차이가 있을까? 끈적한 점질물이 생성되는 청국장과 낫또는 기본적으로 같은 발효음식으로 보는 것이 타당하다. 둘 다 고초균이라 불리는 바실루스 서브틸리스에 의해 콩의 발효가 주도된다. 일본의 낫또는 일찍이 개량화되고 산업화되어 바실루스 낫또라는 단일균주를 접종하여 제조한다. 이에 비해 전통 청국장은 자연 접종된 바실부스 서브틸리스에 의해 발효된다. 이때 일부 잡균들이 관여하여 청국장 특유의 냄새가 심해지기도 한다. 이용되는 원료콩의 크기와 먹는 방법에 차이가 있을 뿐이다. 청국장은 알이 굵은 대립종을 주로 쓰고 낫또는 알이 잔 소립종을 원료로 쓴다. 낫또는 발효 후 다른 처리 없이 거의 그대로 먹지만, 청국장은 대부분 양념류가 혼합된 찌개 형태로 끓여서 먹는다.

● 국산 콩 두부와 수입 콩 두부

한 조사결과에 따르면 소비자들이 콩이나 두부를 포함한 콩 식품을 선택하는 기준은 국산인지 여부가 가장 중요하다고 한다. 수입 콩에 유전자변형 콩이 포함 되어 있을 가능성이 높다는 사실을 제외하고라도, 기본적으로 원료 콩 품질 차이가 크다는 데 있을 것이다. 수입 콩은 국산 콩에 비해 저장, 유통 기간도 길어 신선도와 품질이 떨어진다.

국산 콩은 식용을 목적으로 개발 되었으나 비해 미국, 캐나다, 오스트레일리아 등에서 재배한 수입 콩들은 콩기름을 추출하기 위한 목적으로 개발되었다. 따라서 수입 콩들은 기름 함량이 많아, 유통과정 중에 리놀산이나 리놀렌산 같은 불포화 지방산이 산화되어 가공제품의 맛이 떨어지기 싶다. 또한 우리나라에서 생산되는 두부용 콩은 기본적으로 콩알 100개 무게가25g 이상으로 매우 굵다. 전통적으로 콩의 용도가 비슷한 우리나라와 일본을 제외하고 세계적으로 이 정도로 알이 굵은 콩이 생산되고 유통되는 나라는 없다. 알이 굵은 콩들은 껍데기 비율이 상대적으로 낮아 단백질을 비롯한 영양성분들이 물에 많이 용출된다. 이것도 두부의 맛을 좋게 하는 요인으로 알려지고 있다.

4. 맛있는 두부 콩 제품을 더욱 맛있게 조리해 먹는 방법!

우리 밥상에 여러 모습으로 올라오는 콩, 두부 그리고 콩 제품을 더욱 맛있게 조리해 먹을 수 있는 비법을 알아보자. 요리의 맛은 식재료의 신선도가 가장 중요하지만 그 다음은 어떻게 요리하느냐이다.

● 콩

어릴 적 밥상에 올라온 콩밥에 들은 콩이 너무 딱딱해 안 그래도 입에 안 맞는 콩 골라내 본 적 있을 것이다. 푹 잘 익은 콩은 오히려 달고 맛있다. 콩 골라내지 않고, 더 먹게 되는 맛있는 콩 요리법!

콩 삶는 법

: 콩은 보통 5~10시간 물에 불려 사용하며 불리면 2배 정도의 부피가 된다. 그러나 팥은 다른 콩류와는 달리 껍질이 두꺼워 물 흡수가 되지 않기 때문에 물에 불려도 불지 않는다. 또한 물에 담겨 있는 동안 팥에 있는 배아가 터져 영양 손실을 초래하기 때문에 물에 불리지 않고 바로 찬물에서 삶는다.
콩을 삶을 땐 뚜껑을 열고 삶아야 물이 끓어 넘치지 않는다.
또한 여러 종류의 콩을 사용해 요리할 때는 각각의 콩들은 따로 담아 불려야 제 각각의 맛을 잃지 않는다.

● 콩나물과 숙주나물

볶아먹고, 국 끓이고, 무쳐먹고, 두루두루 쓰이는 콩나물과 숙주나물이다. 자칫 잘못하며 특유의 비린내로 맛을 망칠 수 있다.
콩에는 단백질 분해를 방해하는 성분이 있어 날로 먹으면 소화가 잘 안 된다. 그래서 콩은 익혀 먹는 것이 좋다. 볶으면 60%, 삶으면 70%, 두부로 가공하면 95%까지 소화흡수율이 높아지고 맛도 좋아진다.

콩나물 고르는 법

: 콩나물을 고를 때는 되도록 뿌리가 너무 길지 않고 잔뿌리가 적은 것이 좋다. 또한 콩나물을 다듬어서 보관하게 되면 잘려진 단면에서 영양성분이 빠져 나와 갈변이 되므로 가급적 손질하지 않은 상태에서 보관하는 것이 좋다. 또한 햇빛에 노출되면 머리가 파랗게 변색되고 억세지므로 보관 시 종이봉투나 투명하지 않은 비닐봉지를 이용해 냉장 보관하는 것이 좋다.

비린내 나지 않게 요리하는 법

: 콩나물이 익는 중간에 뚜껑을 열면 콩나물 특유의 비린내가 생긴다. 이를 방지하려면 아예 처음부터 익을 때까지 뚜껑을 닫은 채 열지 말거나, 아예 닫지 않은 상태에서 요리해야 한다.
또 소금 넣고 콩나물을 데치면 물의 온도가 쉽게 떨어지지 않아 일정한 온도로 콩나물을 데칠 수 있으며, 따로 간을 하지 않아도 된다.
콩나물을 찬물에 담갔다 건지면 아삭한 식감이 더 살아난다.
콩나물은 데친 후 다른 재료와 섞어야 특유의 비린내가 없어진다

● 두부

두부를 으깨서 볶으면 콩 비린내가 나지 않는다. 탄탄하고 쫄깃하며 씹는 맛도 있는데다 콩의 고소함만 남은 두부가 된다. 이런 두부는 고기를 못 먹거나, 채식주의자들에게 간 고기 대용으로 사용해도 좋다. 단백질이라는 고기의 영양소를 살리면서 간 고기와 같은 식감을 준다.
두부는 물기가 많으므로 으깨서 요리를 할 때, 물기를 꼭 짜주지 않으면 양념이 잘 배지 않고 겉돌거나, 잘 뭉쳐지지 않고 모양이 흐트러질 수 있으니 주의한다.
두부를 소금물에 데치거나, 삼투압현상에 의해 두부가 부서지지 않고 간이 밴다. 또 소금을 뿌려놓으면 수분이 증발되어 튀길 때 기름이 튀지 않는다.

● 그 외 콩 두부 가공식품

요리에 쓰이는 두유는 무가당으로 하여야 맛을 제대로 낼 수가 있다.
유부는 두부를 가공해 튀겼으므로 요리 전 끓는 물에 살짝 데쳐야 기름기가 줄어들어 맛이 깔끔하다.

참고 문헌 :
표준국어대사전
브리태니커 사전
백인열 등저, 『알콩 달콩 우리 콩 이야기 』, 기역
김길환, 「콩, 두부와 콩나물의 과학」, 한국과학기술원

Part 2

콩& 숙주나물& 콩나물

CONTENTS

모듬 콩 감자샐러드 / 두부 검은콩 브루스케타 / 모듬 콩 라따뚜이 / 모듬 콩 영양밥 / 모듬 콩계탕 / 검은콩 조림 / 잔멸치 땅콩볶음 / 생땅콩 조림 / 콩콘 튀김 / 완두콩 크림소스 떡볶이 / 냉 완두콩 수프 / 검은콩 설기떡 / 완두 해물 카레 만두 / 에그&빈 바삭 피자 / 팥 칼국수 / 숙주채소 스프링롤 / 숙주나물 초무침 / 숙주 비빔우동 / 숙주 돼지고기 볶음 / 콩나물 뢰스티 / 얼큰 콩나물 김칫국 / 콩나물김치전 / 오징어 콩나물 유부국 / 콩나물 해파리 냉채 / 황태콩나물국 / 오징어 콩나물죽 / 콩나물 표고밥 / 데리야끼 콩나물 김밥 / 콩나물 깻잎김치 / 콩나물 무침 / 콩나물 버섯 장조림 / 콩나물 방울토마토 냉국

모든 콩들의 만남 모듬 콩 감자샐러드

분량 : 2인분
조리시간 : 30분
난이도 : 중급

"모듬 콩에 감자가 들어 있어 맛도 영양도 모두 풍부한 건강식이죠. 콩과 감자 본연의 맛과 자연의 맛 그대로를 담은 살아 있는 건강요리입니다."

| 재료 |

- 모듬 콩 1컵
- 소금 1작은술
- 감자 2개
- 블랙올리브 2알
- 버터 1작은술

| 소스 |

- 올리브유 2큰술
- 발사믹식초 1½큰술
- 소금 1/3작은술
- 후춧가루 1/4작은술
- 올리고당 1작은술

1. 모듬 콩은 반나절 정도 불린 후 찬 소금물에 넣어 완전히 익을 때까지 약 15분 정도 삶는다.

2. 감자도 찬물에 소금을 넣고 10분간 삶는다. 삶은 후 먹기 좋게 2cm 크기로 자른다.

3. 블랙올리브는 얇게 편으로 썬다.

4. 팬에 버터를 두른 후 감자를 1분간 볶는다.

   ※Tip※ 삶아서 익힌 감자라도 한번 볶아주면 버무릴 때 부서지지 않고 훨씬 더 부드럽다.

5. 볼에 1, 3, 4를 섞은 후 소스를 넣어 가볍게 버무린다.

6. 그릇에 담아낸다.

1

4

5

콩은 미리 불려주면 삶는 시간을 줄일 수 있고 훨씬 부드럽게 삶아진다.

입맛 당기는 두부 검은콩 브루스케타

- 분량 : 7개
- 조리시간 : 15분
- 난이도 : 하급

"고소하게 구운 바게트 빵 위에 두부와 검은콩을 화려하게 얹은 브루스케타는 아이들 간식, 와인 안주, 다이어트 식사 대용, 브런치 등으로 대신할 수 있는 이탈리안 요리입니다."

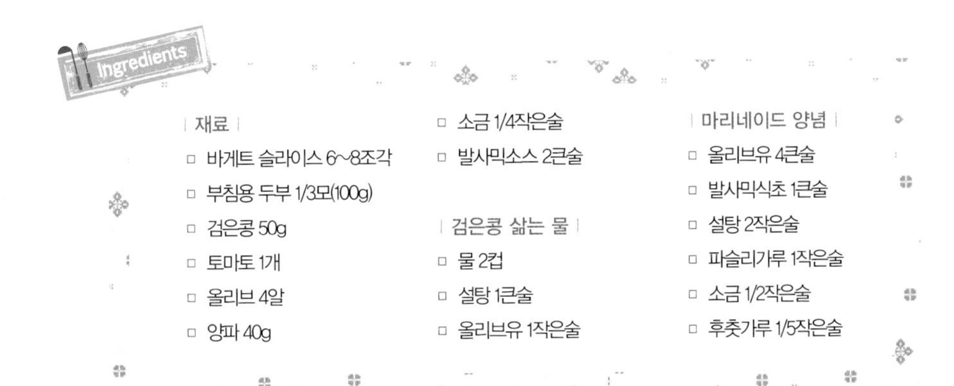
Ingredients

| 재료 |
- □ 바게트 슬라이스 6~8조각
- □ 부침용 두부 1/3모(100g)
- □ 검은콩 50g
- □ 토마토 1개
- □ 올리브 4알
- □ 양파 40g
- □ 소금 1/4작은술
- □ 발사믹소스 2큰술

| 검은콩 삶는 물 |
- □ 물 2컵
- □ 설탕 1큰술
- □ 올리브유 1작은술

| 마리네이드 양념 |
- □ 올리브유 4큰술
- □ 발사믹식초 1큰술
- □ 설탕 2작은술
- □ 파슬리가루 1작은술
- □ 소금 1/2작은술
- □ 후춧가루 1/5작은술

1. 바게트는 팬에 구워 앞면이 노릇하게 한다.

   ※Tip※ 버터나 기름을 두르지 않은 마른 팬에 약불로 표면이 바삭해질 때까지 굽는다. 바게트를 굽는 이유는 수분을 없애기 위해서다. 빵 표면을 구우면 마리네이드 한 재료를 올려도 빵이 축축해지지 않는다.

2. 두부는 사방 0.5cm의 주사위 모양으로 썬 후 끓는 물에 소금을 약간 넣고 30초간 데친다.

3. 검은콩은 물에 3시간 동안 불린 후 설탕과 올리브유를 넣은 끓는 물에 넣어 20분간 삶아 건진다.

   ※Tip※ 검은콩을 삶을 때 설탕과 올리브유를 넣으면 콩에서 윤기가 나고 단맛이 더해진다.

4. 토마토, 올리브, 양파는 굵게 다진다.

5. 마리네이드 양념을 고루 섞은 후 밑손질한 토마토, 올리브, 양파, 두부, 검은콩을 넣어 2시간 정도 마리네이드 한다.

6. 바게트 위에 마리네이드 한 재료를 올린 후 발사믹소스를 뿌린다.

1

2

5

NOTE

- 브루스케타(bruschetta)란 바게트 위에 야채, 버섯, 소스 등을 얹은 이탈리아 요리로 파티나 전채요리로 알맞다.
- 조리시간에는 마리네이드 2시간을 포함하지 않았다. 빠른 시간에 조리하길 원하면 조리 마리네이드 시간을 10분으로 줄이고, 마리네이드는 빵을 굽기 전에 미리 해두는 것이 좋다.

색다른 맛의 향연 모듬 콩 라따뚜이

- 분량 : 2인분
- 조리시간 : 30분
- 난이도 : 중급

"라따뚜이는 프랑스의 프로방스 지방에서 즐겨 먹는 전통 채소요리인데요. 채소에 부족하기 쉬운 단백질이 풍부한 콩을 넣어 만들어 봤어요. 콩의 구수한 맛과 채소의 상큼함이 잘 어우러져요."

| 재료 |
- □ 모듬 콩 1컵
- □ 양파 50g
- □ 호박 50g
- □ 파프리카 1/2개(50g)
- □ 토마토 1개
  (다른 채소 대체 가능)
- □ 마늘 2톨
- □ 월계수 잎 1장
- □ 버터 1큰술
- □ 파슬리가루(혹은 바질) 1/2작은술

| 토마토 양념 |
- □ 토마토소스 1컵
- □ 올리고당 1작은술
- □ 소금 1/3작은술
- □ 후춧가루 1/3작은술

1. 콩은 반나절 정도 불린 후 뭉근해질 때까지 삶는다. 체에 받쳐 물기를 제거한다.

2. 토마토는 십자(+) 모양으로 칼집을 넣어 뜨거운 물에 3초간 데친 후 껍질을 벗기고 속씨를 제거한 후, 한입 크기로 썬다.

   ※Tip※ 토마토에 칼집을 넣고 데치면 껍질이 손쉽게 벗겨진다. 속씨는 떫은 맛이 나므로 제거하는 것이 맛이 좋다.

3. 마늘은 편으로 썰고 나머지 채소는 토마토 크기로 썰어준다.

4. 예열된 팬에 버터를 넣어 녹인 후 마늘을 볶다 중불에서 콩과 채소를 넣고 2분간 더 볶는다.

5. 채소가 어느 정도 익으면 토마토양념, 월계수를 넣고 중불에서 5분간 끓인다. 끓어오르면 불을 끈다.

6. 그릇에 담은 후 파슬리가루나 바질을 뿌려낸다.

2

4

5

NOTE

라따뚜이는 가지, 토마토, 피망, 양파 등 여러 가지 채소와 허브를 넣어 만드는데 모든 재료는 볶는다. 음식을 내 놓을 때는 뜨겁거나 차거나 모두 가능하고 메인 요리, 사이드디시(side dish, 곁들임 요리)로 먹거나 빵이나 크래커와 곁들여서 애피타이저로 먹기도 한다.

콩의 모든 영양을 한번에 모듬 콩 영양밥

분량 : 2인분
조리시간 : 30분
난이도 : 중급

"콩을 넣어 밥을 지으면 콩 단백질인 유리아미노산이 나와서 밥에 윤기가 돌게 하고 영양을 더해 준 답니다. 콩과 밥, 이보다 더 좋은 궁합은 없겠죠?"

Ingredients

재료

- 모듬 콩 1/3컵
- 밤 3개
- 대추 2개
- 은행 5알
- 불린 표고 1개
- 쌀 2/3컵
- 참기름 1작은술
- 식용유 1/3작은술
- 다시물 1과1/4컵
- 청주 1큰술
- 소금 1/3작은술

양념간장

- 간장 3큰술
- 고춧가루 1/2작은술
- 들기름 1큰술
- 깨소금 1/2작은술
- 다진 마늘 1/2작은술
- 부추 3줄기(송송 썰기)
- 다시물 1큰술

1. 모듬 콩은 미리 반나절 정도 물에 불린다. 쌀은 깨끗이 씻어 30분간 불린 후 체에 밭쳐 물기를 뺀다.

   ※Tip※ 콩은 익는 데 시간이 오래 걸리므로 충분히 물에 불리는 것이 좋다.

2. 대추는 돌려 깎아 씨를 빼고 4등분한다. 껍질 벗긴 밤은 4등분하고, 은행은 식용유 1/3작은술에 팬에서 볶아 껍질을 제거한다. 불린 표고도 4등분한다.

3. 냄비나 뚝배기에 참기름을 두르고 불린 쌀을 넣어 2분 정도 볶는다.

   ※Tip※ 쌀을 볶아서 밥을 지으면 밥맛이 더 구수하고 풍미가 좋다.

4. 다시물을 부어 잘 저어준 후 **2**의 재료와 청주 1큰술, 소금을 넣고 뚜껑을 덮어 강불에서 밥을 짓는다(약 10분 정도 소요된다.).

   ※Tip※ 밥을 지을 때 청주를 넣으면 밥에 윤기가 돌아 훨씬 맛이 좋다.

5. 밥이 끓기 시작하면 불을 아주 약불로 줄이고 15분 정도 뜸을 들인 후 불을 끈다.

6. 밥이 다 완성되면 양념간장을 함께 곁들인다.

2

3

4

NOTE

양념간장 부재료인 부추는 계절에 따라 실파나 달래 등으로 대체해서 사용해도 좋다.

보드러운 영계와 고소한 콩의 만남 모듬 콩계탕

- 분량 : 1인분
- 조리시간 : 60분
- 난이도 : 중급

"삼계탕은 닭에 삼을 넣고 끓여 삼계탕이지요. 산삼, 수삼 대신 각종 콩으로 닭의 배를 채워 푹~ 끓인 그야말로 고소한 보양식 모듬 콩계탕입니다."

Ingredients

재료

- 영계 1마리(500~550g)
- 검은콩 2큰술(불린 후 1/4컵)
- 작두콩 2큰술(불린 후 1/4컵)
- 녹두 1큰술(불린 후 2큰술)
- 마늘 5톨
- 대추 3알
- 대파 1/4줄기(송송 썰기)
- 소금 1/2작은술
- 후춧가루 1/5작은술

Directions

1. 영계는 속을 깨끗이 세척하여 놓는다.
2. 검은콩, 작두콩, 녹두는 찬물에 각각 3시간 정도 불린다.
   ※Tip※ 따로 불려야 각각의 맛을 잃지 않는다.
3. 닭 배 속에 불린 콩, 마늘, 대추를 넣어 다리를 X자로 틀어 놓는다.
4. 냄비에 채운 닭을 넣고 닭이 잠길 정도로 물을 부어 40분간 끓인다.
5. 닭이 통통하게 익고 발목 부분의 뼈가 드러나 육안으로 보일 정도로 무르면 송송 썬 대파를 넣고 소금, 후춧가루로 간을 맞춘다.

2

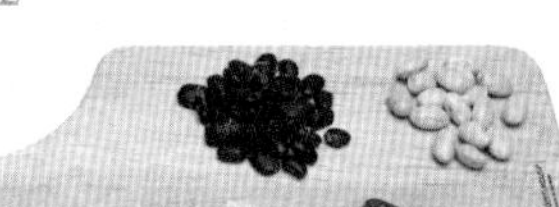

3

4

NOTE

수삼, 인삼을 넣은 삼계탕과는 달리 콩을 듬뿍 넣어 양질의 단백질을 더하면서 구수하고 진한 맛으로 삼의 냄새를 싫어하는 아이들도 맛있게 먹을 수 있다.

빤짝! 새깜한! 앙증맞은 검은콩 조림

- 분량 : 2인분
- 조리시간 : 30분
- 난이도 : 중급

"가느다란 쇠젓가락으로 작은 콩알을 집어 먹는 한국사람에게 서양 사람들은 감탄을 금치 못한다고 하죠? 반찬으로 올려 오늘 저녁 식탁 위에서 멋진 젓가락질 솜씨를 발휘해 보세요."

| 재료 | |
| 검은콩 1컵(불린 콩 1과1/2컵) |

| 식용유 1작은술 |
| 물 2컵 |

| 조림장1 |
| 간장 3큰술 |
| 흑설탕 1큰술 |

| 조림장2 |
| 물엿 2큰술 |
| 깨 1작은술 |

1. 콩은 잘 씻어 찬물에 3시간 정도 불린다.

   ※Tip※ 콩을 찬물에 불리면 조린 후에도 딱딱하지 않고 쫀득하다.

2. 바닥이 두꺼운 냄비에 불린 콩, 조림장1을 넣어 중불로 20분간 조린다.

   ※Tip※ 바닥이 두꺼운 냄비에 조려야 오래 익혀도 타지 않는다.

   ※Tip※ 조림장에 식용유를 약간 넣으면 조린 후 윤기가 더해진다.

3. 콩이 익고 조림장이 거의 졸아들면 조림장2를 넣어 강불로 국물이 없어질 때까지 조린다.

   ※Tip※ 물엿은 나중에 넣어야 조린 후 콩이 딱딱하지 않다.

1

2

3

칼슘 듬뿍! 뼈 튼튼! 잔멸치 땅콩볶음

분량 : 2인분
조리시간 : 20분
난이도 : 하급

"생선 안 먹는 아이들도 자잘한 잔멸치는 곧잘 먹죠. 뼈 채 먹는 작은 생선인 멸치 요리로 우리 아이 키를 쑥쑥 키워보세요."

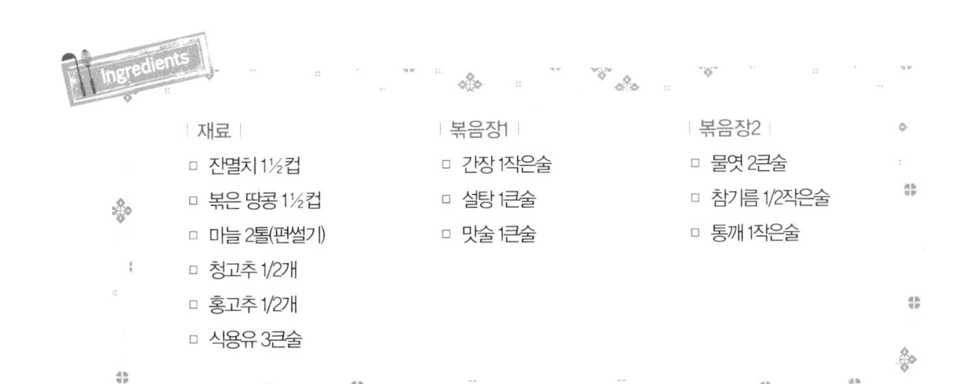

Ingredients

| 재료 |

- □ 잔멸치 1½컵
- □ 볶은 땅콩 1½컵
- □ 마늘 2톨(편썰기)
- □ 청고추 1/2개
- □ 홍고추 1/2개
- □ 식용유 3큰술

| 볶음장1 |

- □ 간장 1작은술
- □ 설탕 1큰술
- □ 맛술 1큰술

| 볶음장2 |

- □ 물엿 2큰술
- □ 참기름 1/2작은술
- □ 통깨 1작은술

Directions

1. 잔멸치, 껍질을 깐 땅콩은 마른 팬을 달궈 약불로 2분간 볶는다.

   ※Tip※ 멸치는 볶으면 비린내가 없어지고, 땅콩은 볶으면 더욱 고소해진다.

2. 고추는 길게 반으로 갈라 씨를 빼고 결 반대로 곱게 채썬다.

3. 팬을 달궈 식용유 3큰술을 두른 후 마늘을 볶다가 멸치, 땅콩을 볶는다.

4. 볶음장1을 넣어 볶는다.

   ※Tip※ 멸치 자체에 짠맛이 있으므로 간장은 약간만 넣는다.

5. 청홍고추를 넣고 볶음장2를 넣어 마무리한다.

3

4

5

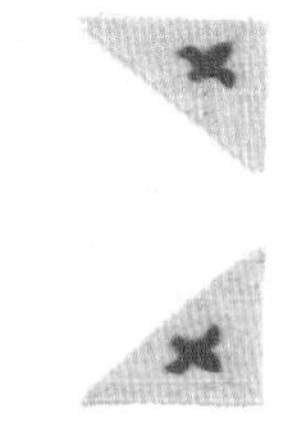

꿀피부를 되찾다 **생땅콩 조림**

- 분량 : 2인분
- 조리시간 : 30분
- 난이도 : 중급

"땅콩은 피부를 윤택하게 하고 두뇌 발달에도 좋은 영향을 미친다고 하죠? 매번 볶은 땅콩만을 드셔왔던 분들, 이번엔 생땅콩을 조려 밥반찬으로 즐겨보세요."

| 재료 |

- □ 생땅콩 1컵
- □ 식초 2작은술
- □ 물엿 1큰술
- □ 식용유 1작은술
- □ 깨 1작은술

| 조림장 |

- □ 팔각 2개
- □ 생강 3g(저미기)
- □ 간장 1½큰술
- □ 맛술 1½큰술
- □ 설탕 1큰술
- □ 물 2컵
- □ 건고추 1/2개(송송 썰기)

1. 생땅콩은 끓는 물에 식초를 넣고 강불로 5분간 삶는다.

   ※Tip※ 식초물에 삶아 땅콩의 텁텁한 맛을 없애고 껍질이 벗겨지지 않도록 한다.

2. 냄비나 팬에 조림장 양념, 삶은 생땅콩을 넣어 끓기 시작하면 중불로 20분간 조린다.

3. 조림장이 자작해지면 물엿, 식용유를 넣어 강불로 윤기 나게 조린다.

팔각이란 중국요리에 자주 사용하는 향신료로 8개의 뿔이 난 별모양을 하고 있다. 고기 요리에선 누린내를 제거하고 생선 요리에선 비린내를 없앤다. 생땅콩 조림에선 땅콩의 날 냄새를 없애주는 역할을 한다.

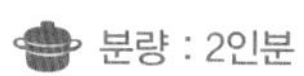

분량 : 2인분

조리시간 : 20분

난이도 : 중급

"알록달록 초코볼 같은 다양한 콩으로 만드는 엄마표 영양 간식. 이제부턴 심심풀이 콩콘 입니다."

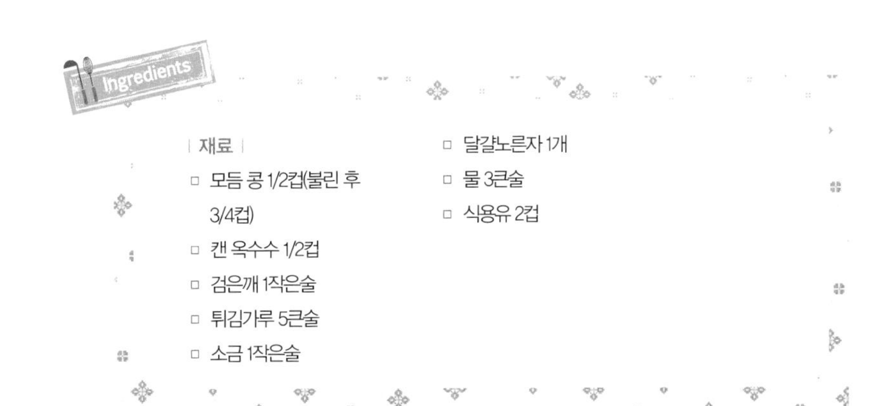

| 재료 |

- 모듬 콩 1/2컵(불린 후 3/4컵)
- 캔 옥수수 1/2컵
- 검은깨 1작은술
- 튀김가루 5큰술
- 소금 1작은술
- 달걀노른자 1개
- 물 3큰술
- 식용유 2컵

1. 콩은 3시간 불려 끓는 물에 중불로 15분 동안 삶은 후 찬물에 헹군다.

   ※Tip※ 콩을 삶을 땐 뚜껑을 열고 삶아야 물이 끓어 넘치지 않는다. 불려 놓은 콩은 미리 삶아두어야 설익지 않는다.

2. 볼에 삶아 놓은 콩과 캔 옥수수, 검은깨, 튀김가루, 소금, 달걀노른자, 물을 넣고 되직하게 섞는다.

   ※Tip※ 재료들이 서로 밀착될 정도만 가루를 넣어 주어야 콩 색깔이 선명하게 유지된다.

3. 냄비에 식용유를 붓고 가열해, 180℃로 열이 오른 튀김 기름에 섞어 놓은 재료를 2/3큰술씩 떼어 넣어 튀긴다.

   ※Tip※ 숟가락 2개를 들고 모양을 잡으면 쉽다.

1

2

3

크림소스 안에 완두콩
완두콩 크림소스 떡볶이

- 분량 : 2인분
- 조리시간 : 25분
- 난이도 : 중급

"마치 진하게 우려낸 사골국물에 떡을 넣어 만든 떡국이 생각나는 요리입니다. 콩을 넣어 단백질 보충까지, 완두콩+떡+크림소스가 만나 환상적인 맛에 반해 버리는 주말 별미입니다."

Ingredients

| 재료 |
- 떡볶이 떡 300g
- 마늘 2톨
- 양파 1/4개
- 감자 1/4개
- 불린 표고 2개
- 완두콩 2큰술
- 소금 1/2작은술
- 올리브유 1큰술

| 크림소스 |
- 생크림 1컵
- 우유 1/2컵
- 굴소스 1큰술

Directions

1. 떡은 끓는 물에 소금, 올리브유를 넣고 30초간 데친다.

2. 데친 떡은 찬물에 헹군다.

3. 마늘은 편썰고 양파는 채썬다. 감자는 2×2cm의 크기로 얇게 편썰고 불린 표고는 2×2cm 크기로 썬다.

4. 올리브유를 두르고 마늘을 볶다가 양파, 감자, 불린 표고를 볶는다.

5. 4에 크림소스를 넣고 끓으면 데친 떡, 완두콩을 넣어 1분간 중불로 끓인다.

6. 크림소스의 농도가 걸쭉해지면 완성 접시에 담는다.

1

4

5

NOTE

생크림이 없을 때는 동량의 우유에 슬라이스 치즈를 넣어 녹여준다(예를 들어, 생크림 1컵=우유 1컵+슬라이스 치즈 1장). 똑같은 풍미는 아니지만 생크림과 비슷한 풍미와 농도를 내주기 때문에 대체할 수 있다.

스프도 이젠 차갑게 즐기자 냉완두콩 수프

분량 : 2인분
조리시간 : 15분
난이도 : 하급

"은은한 완두콩 향과 부드럽게 넘어가는 수프 특유의 입안에서의 촉감.
게다가 차갑게 조리하여 마치 시원한 샤벳을 먹는 느낌이에요."

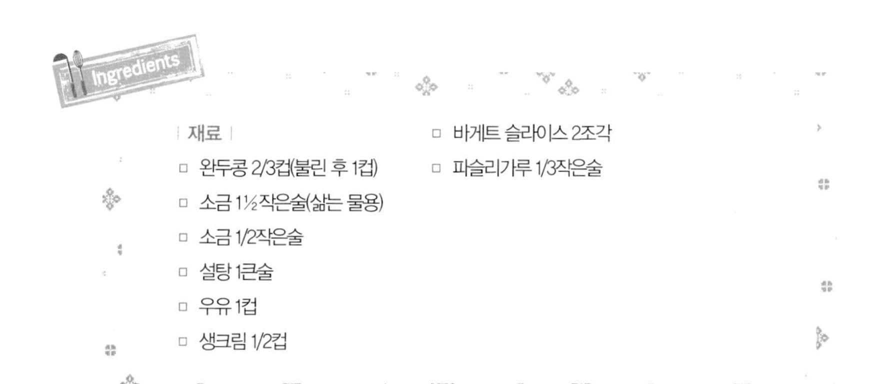

| 재료 |

- 완두콩 2/3컵(불린 후 1컵)
- 소금 1½작은술(삶는 물용)
- 소금 1/2작은술
- 설탕 1큰술
- 우유 1컵
- 생크림 1/2컵
- 바게트 슬라이스 2조각
- 파슬리가루 1/3작은술

1. 완두콩은 3시간을 불린 후 끓는 물에 소금을 넣고 15분간 중불로 삶아 얼음물에 식힌다.

   :: Tip :: 찬 수프이므로 완두콩을 차게 식혀 두어야 하며, 삶은 후 찬물에 담그면 색이 선명해진다.

2. 믹서에 소금 1/2작은술, 설탕 1큰술, 우유 1컵, 식힌 완두콩을 넣어 곱게 갈아준다.

3. 갈아 놓은 재료를 체에 내려 부드럽게 한 후 생크림을 섞는다.

4. 완성 접시에 냉완두콩 수프를 담고 그 위에 삶은 완두콩, 생크림으로 장식한다.

5. 바게트 슬라이스를 팬에 구워 파슬리가루를 뿌린 후 곁들인다.

1

3

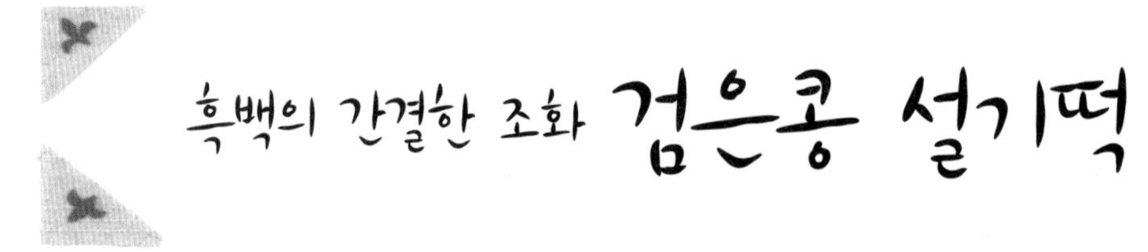

흑백의 간결한 조화 검은콩 설기떡

- 분량 : 2인분
- 조리시간 : 40분
- 난이도 : 중급

"설기떡은 새하얀 멥쌀 위에 수줍게 박혀 있는 검은콩이 단순하지만 간결함이 돋보이는 요리죠. 폭신한 전통 떡, 집에서도 만들어 보세요."

| 재료 |
- 멥쌀가루 2컵
- 소금 1/3작은술
- 물 1½큰술

| 콩조림 |
- 불린 검은콩 2/3컵
- 물 1/2컵
- 설탕 1큰술

1. 멥쌀가루에 소금과 물을 섞어 체에 3번 내린다.

   ※Tip※ 체에 수차례 내려주면 멥쌀가루 사이에 공기 층이 생겨 떡이 폭신하다.

2. 검은콩을 8시간 불려 건진 후 물과 설탕을 분량대로 넣어 중불로 15분간 조린다.

   ※Tip※ 콩은 미리 익혀두어야 떡을 찔 때 설익지 않는다.

3. 조린 콩 중 3~4개는 장식용으로 반을 갈라 준비하고, 나머지 콩은 멥쌀가루와 섞는다.

4. 찜틀에 콩 섞은 쌀가루를 넣고 위에 장식용으로 남겨 둔 콩을 올린다.

5. 열이 오른 찜기에 20분간 찐 후 불을 끈 채로 5분간 뜸을 들인다.

1

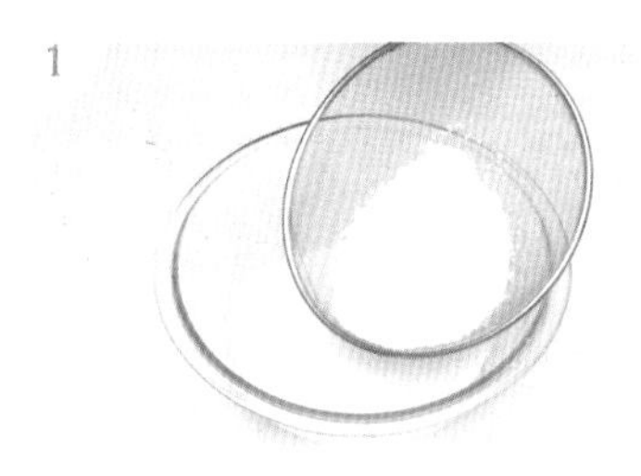

2

4

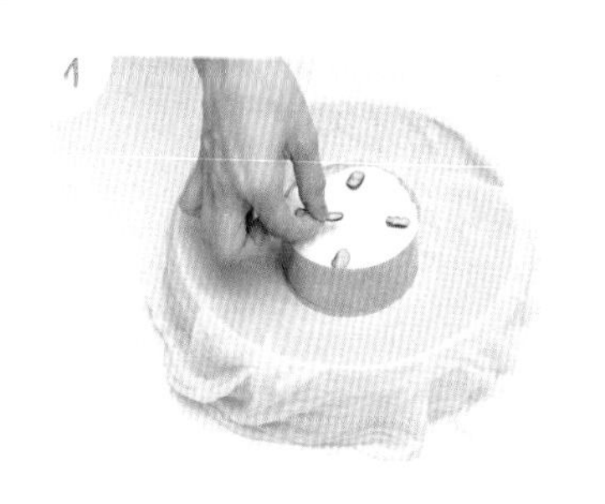

한입 크게 완두 해물 카레 만두

- 분량 : 2인분
- 조리시간 : 20분
- 난이도 : 하급

"만두 다들 좋아하시죠? 만두는 속재료에 따라 다양한 맛을 주는 음식으로 속이 궁금한 요리이기도 해요. 지금 소개하는 만두는 안에 완두콩과 다진 해물을 넣어 씹는 맛과 감칠맛을 더했답니다."

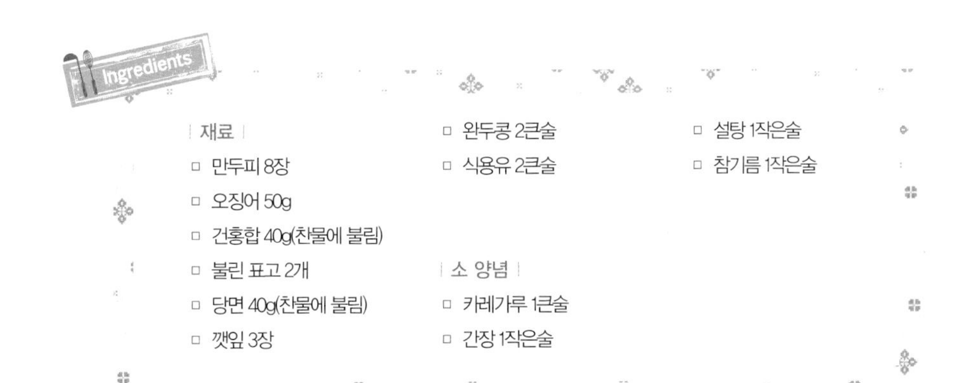
Ingredients

| 재료 |

- □ 만두피 8장
- □ 오징어 50g
- □ 건홍합 40g(찬물에 불림)
- □ 불린 표고 2개
- □ 당면 40g(찬물에 불림)
- □ 깻잎 3장
- □ 완두콩 2큰술
- □ 식용유 2큰술
- □ 설탕 1작은술
- □ 참기름 1작은술

| 소 양념 |

- □ 카레가루 1큰술
- □ 간장 1작은술

1. 오징어, 불린 홍합, 불린 표고, 깻잎은 잘게 다진다.

2. 완두콩은 끓는 물에 데친다. 불린 당면은 끓는 물에 8분간 삶아 건져 잘게 다진다. 오징어, 홍합, 표고, 깻잎, 당면, 완두를 소 양념과 고루 버무린다.

   ※Tip※ 양념에 카레가루를 넣으면 해물의 비린내가 없어지고 수분에 질척해지는 것을 막아준다.

3. 만두피 안에 양념한 소를 넣고 만두피 테두리에 약간의 물을 바른 후 만두를 빚는다.

4. 팬에 식용유를 두르고 만두를 1분간 굽는다.

5. 4에 물 3큰술을 넣어 뚜껑을 닫아 3분간 중불로 익힌다.

   ※Tip※ 물을 넣고 뚜껑을 닫아 찜기 역할을 하는 것이므로 불 세기는 강하게 하지 않는다.

2

4

5

심플하게 즐기는 에그&빈 바삭 피자

분량 : 2인분
조리시간 : 15분
난이도 : 하급

"이름만 들어도 건강해지는 피자인데요. 콜레스테롤을 반으로 뚝! 줄이고 포만감만 유지하도록 한 요리입니다."

| 재료 |

- 또띠아(10인치 대) 1장
- 모듬 콩 1/2컵
- 피자치즈 1/2컵
- 달걀 2개
- 소금 1/4작은술
- 올리브유 2작은술

1. 모듬 콩은 물에 3시간 불린 후 끓는 물에 15분간 삶는다.

2. 팬에 올리브유를 두르고 삶은 콩을 2분간 볶는다.

3. 팬에 또띠아를 앞뒤로 1분간 약불로 바삭하게 굽는다.

4. 팬에 올리브유를 두르고 달걀에 소금을 뿌려 반숙으로 프라이 한다.

5. 또띠아에 볶은 콩을 올리고 피자치즈를 뿌린 후 달걀 프라이를 얹는다.

   ×Tip× 달걀 프라이에 열기가 남아 있으므로 피자치즈가 녹아 달걀과 밀착된다.

2

5

한 그릇에 피로가 싹 팥 칼국수

- 분량 : 2인분
- 조리시간 : 1시간
- 난이도 : 중급

"정월대보름 전날에 붉은 팥으로 죽을 쑤어 먹으면 붉은색이 악귀를 쫓는다 하여 우리 조상들이 시절식으로 먹었던 팥죽! 색다르게 국수를 넣어 한끼 식사로도 거뜬한 음식이 되었어요."

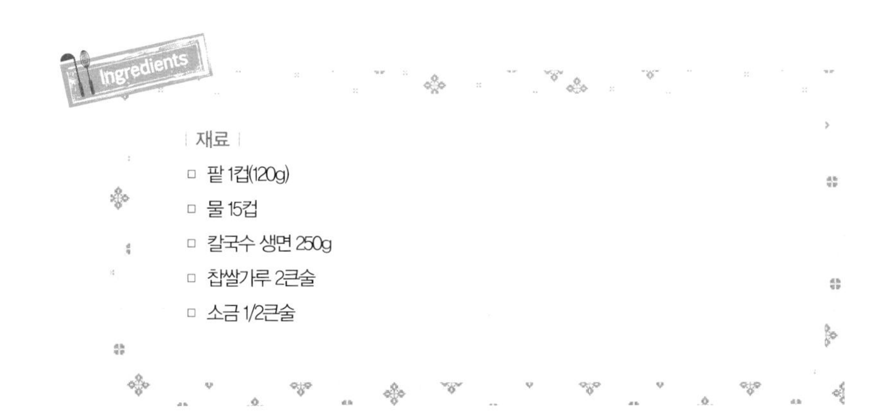

재료

- 팥 1컵(120g)
- 물 15컵
- 칼국수 생면 250g
- 찹쌀가루 2큰술
- 소금 1/2큰술

1. 팥은 깨끗이 씻어 체에 밭친 후 냄비에 넣고 물을 충분히 붓고(3컵 정도) 한소끔(5분 정도) 끓인 다음 그 물을 따라 버리고 새 물(12컵)을 부어 중간 불에 팥이 터질 때까지 푹 무르게 삶아(40분 정도) 체에 걸러 팥과 삶은 물은 따로 둔다.

2. 삶은 팥과 팥 삶은 물 1½컵을 믹서에 넣고 곱게 간다.

3. 2는 체에 밭쳐서 팥 삶은 국물과 함께 넣고 내린다. 팥 앙금은 고루 내리고 체에 남아 있는 껍질은 버린다.

   ※Tip※ 껍질은 꼭 체에 걸러줘야 식감이 부드럽다.

4. 끓는 물에 칼국수 면을 넣고 2분 정도 삶아 건진다.

5. 1의 팥 삶은 물 1컵과 찹쌀가루를 개어서 섞은 다음 냄비에 3의 팥 앙금과 함께 넣고 끓인다. 중간 중간 주걱으로 눌어붙지 않게 저어준다.

   ※Tip※ 찹쌀가루를 물에 개어서 끓여야 몽우리가 지지 않고 잘 섞인다.

6. 5가 끓어오르면 삶은 칼국수면과 소금 약간을 넣고 간을 한 후 면이 완전히 익을 때까지 1~2분간 끓인다.

2

3

6

NOTE

- 콩은 보통 5~10시간 물에 불려 사용하며 불리면 2배 정도의 부피가 된다. 그러나 팥은 다른 콩류와는 달리 껍질이 두꺼워 물 흡수를 하지 않기 때문에 물에 불려도 불지 않는다. 또한 물에 담겨 있는 동안 팥에 있는 배아가 터져 영양 손실을 초래하기 때문에 물에 불리지 않고 바로 찬물에서 삶는다.
- 찹쌀 옹심이는 찹쌀가루를 뜨거운 물로 익반죽해서 빚어 준 다음 뜨거운 물에 데쳐 찬물에 담갔다 건져서 넣는다.

소리까지 맛있는~ 숙주채소 스프링롤

분량 : 2인분
조리시간 : 35분
난이도 : 중급

"숙주와 각종 채소를 얹어 둥글게 말아 튀겨낸 스프링롤은 바삭하고 감칠맛이 나는 퓨전요리입니다. 한입 베어 먹을 때의 바삭함, 숙주가 주는 아삭한 식감에 누구나 반하지 않을 수 없는 요리랍니다."

| 재료 |
- 춘권피 8장
- 불린 표고 2개
- 양파 1/4개(50g)
- 당근 1/8개(20g)
- 숙주 70g
- 닭고기 50g
- 부추 20g
- 소금 1/3작은술
- 후춧가루 약간
- 스위트핫칠리소스 2큰술
- 식용유 1큰술 (볶음용)
- 식용유 1컵(튀김용)

| 속양념 |
- 다진 마늘 1작은술
- 설탕 1/4작은술
- 후춧가루 1/3작은술
- 참기름 1작은술
- 굴소스 1큰술
- 밀가루 풀(밀가루 2큰술, 물 3큰술)

| 닭고기 양념 |
- 청주 1작은술
- 소금 1/4작은술
- 후춧가루 1/5작은술

1. 채소(양파, 당근, 부추)와 표고는 2cm 길이로 가늘게 채썬다.
2. 닭고기는 다진 후 양념해 재워 놓는다.
3. 숙주는 뜨거운 물에 1분간 데친 후 물기를 짠 후 2cm 크기로 썰어준 후 소금, 후춧가루로 간한다.
4. 팬에 식용유를 두른 후 양념한 닭고기를 볶다가 채소를 넣고 속양념을 넣은 후에 볶는다.
5. 춘권피를 펼친 후 볶은 재료를 올리고 가장자리에 밀가루 풀을 바른 후 양 끝을 접어 돌돌 말아준다.
6. 춘권을 160℃로 예열된 기름에 바삭하게 튀겨낸다
7. 먹기 좋은 크기로 썰어 소스와 곁들여 낸다.

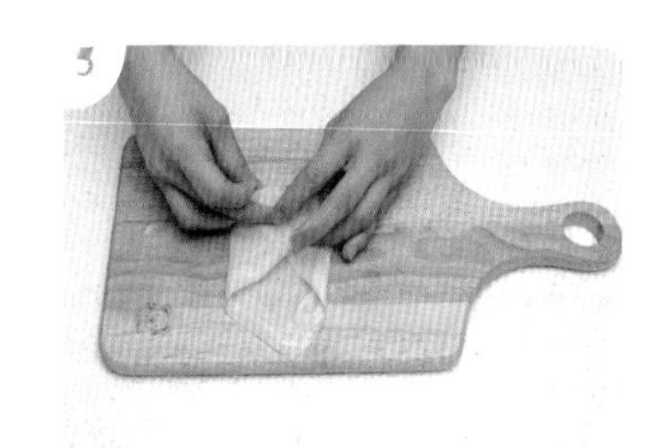

소리까지 향긋한~ 숙주나물 초무침

- 분량 : 2~3인분
- 조리시간 : 20분
- 난이도 : 하급

"아삭한 숙주나물과 향긋한 미나리의 향이 입맛을 살려주는 요리예요. 자칫 밋밋하기 쉬운 숙주에 쇠고기를 넣어 감칠맛 나게 식감도 살렸답니다."

| 재료 |

- 숙주 150g
- 미나리 40g
- 쇠고기 50g
- 소금 1/3작은술(데침용)
- 홍고추 1/3개(송송 썰기)

| 소고기양념 |

- 다진 마늘 1/2작은술
- 간장 1/2작은술
- 설탕 1/3작은술
- 참기름 1/2작은술
- 깨소금 1꼬집
- 후춧가루 1꼬집

| 무침 양념 |

- 연두 1작은술
- 식초 1/2작은술
- 소금 1/2작은술
- 참기름 1/2작은술
- 설탕 1/3작은술

1. 숙주는 머리와 꼬리를 다듬고, 끓는 물에 1분간 데쳐 찬물에 헹군다.

2. 미나리는 4cm 길이로 썬 다음 소금물에 5초간 데친 후 찬물에 헹군다.

   ※Tip※ 미나리는 소금을 넣고 살짝 데쳐야 초록색이 더 선명해진다.

3. 쇠고기는 5cm 길이로 가늘게 채썰어 양념에 무친 후 팬에 볶는다.

4. 볼에 숙주, 미나리, 쇠고기를 담고 무침 양념을 넣어 버무린다.

   ※Tip※ 무침 양념에 버무리는 것은 먹기 직전에 버무리는 것이 좋다. 미리 버무려 놓으면 미나리가 색이 누렇게 되고 식초 향도 날아간다. 채소가 부서지지 않도록 살살 버무린다.

5. 완성 그릇에 4를 담고 홍고추를 고명으로 올려낸다.

1

3

4

NOTE

숙주나물, 미나리에 청포묵을 넣어 무쳐도 색다른 별미이다. 이 무침을 탕평채라고 한다.

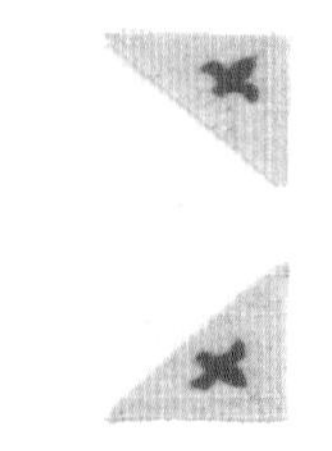

5미 5감 숙주 비빔우동

분량 : 2인분
조리시간 : 20분
난이도 : 하급

"매콤 새콤 달콤 아삭 쫄깃~! 통통하고 쫄깃한 면발에 아삭한 숙주와 야채, 입에 착착 감기는 새빨간 소스까지. 그야말로 입맛 잡아주는 면 요리! 지금 도전해 보세요."

| 재료 |

- 냉동 우동면 400g
- 숙주 100g
- 오이 1/4개
- 당근 40g
- 양배추 80g
- 새싹 야채 5g
- 깨 1작은술

| 비빔 양념 |

- 고추장 3큰술
- 식초 3큰술
- 고춧가루 1작은술
- 설탕 1큰술
- 물엿 1큰술
- 다진 마늘 2작은술
- 토마토케첩 1큰술
- 참기름 2작은술
- 깨 1큰술

1. 냉동 우동면은 끓는 물에 데쳐 찬물에 헹군다.

   × Tip × 면은 데친 후 찬물에 식혀야 면발이 쫄깃하다.

2. 콩나물은 꼬리를 정리하여 끓는 물에 넣고 3분간 삶는다.

3. 오이, 당근, 양배추는 곱게 채썬다.

   × Tip × 야채는 되도록 가늘게 채썰어야 식감이 억세지 않아 좋다.

4. 비빔 양념을 분량대로 고루 섞는다.

5. 우동면과 비빔 양념을 고루 버무린다.

6. 그릇에 버무린 비빔우동 면을 담고 준비한 야채를 올린다.

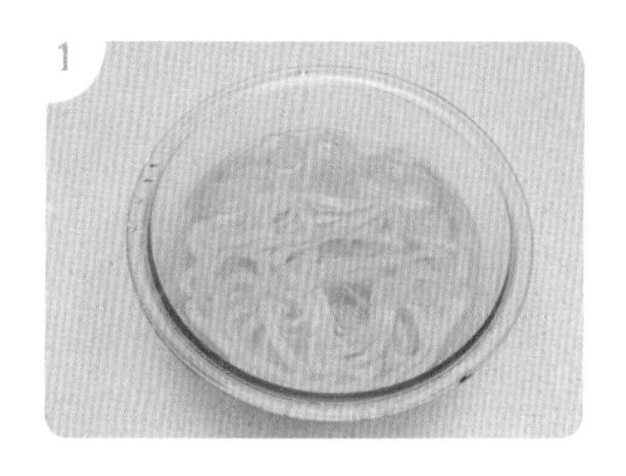
1

3

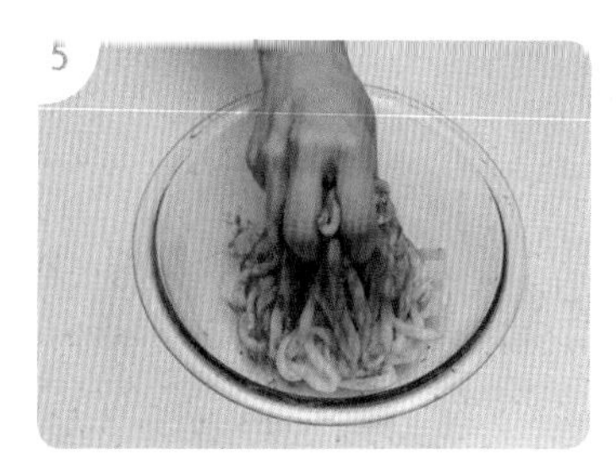
5

아삭하고 매콤한 별미 숙주 돼지고기 볶음

- 분량 : 2~3인분
- 조리시간 : 25분
- 난이도 : 중급

"돼지고기를 간장양념에 재워 숙주와 함께 볶는 일본요리가 있어요. 이 요리를 응용해 우리 방식으로 매콤하게 변신시킨 요리예요. 살짝 볶아서 아삭한 숙주나물과 함께 곁들이면 훌륭한 일품요리가 되겠죠?"

| 재료 |
- 숙주나물 200g
- 돼지고기 불고기감 200g
- 부추 20g
- 양파 30g
- 식용유 3큰술
- 소금 1/4작은술

| 양념장 |
- 다진 마늘 1큰술
- 생강 3g(다지기)
- 청주 2큰술
- 깨소금 1작은술
- 후춧가루 약간
- 고추장 1큰술
- 고춧가루 1작은술
- 물엿 1작은술
- 설탕 1작은술
- 굴소스 1작은술
- 참기름 1작은술
- 검은깨 약간

1. 돼지고기 불고기감은 한입 크기로 썬다. 양파는 0.3cm 두께로 채썰고, 부추는 5cm 길이로 썬다.

2. 썰어 놓은 돼지고기는 양념장에 버무려서 10분 정도 재운다.

3. 달궈진 팬에 식용유를 두른 후 강불에서 양파를 넣고 10초간 볶다가 숙주나물을 넣고 20초간 볶다 소금을 넣어 간한 후 불은 끈 후 여열에서 부추를 섞는다.

   ※Tip※ 채소는 강불에서 단시간에 볶아야 물이 생기지 않고 식감도 좋다.

4. 달궈진 팬에 식용유를 두른 후 돼지고기를 중불에서 볶는다.

5. 접시 가운데 볶아낸 고기를 담고 가장자리에 숙주, 볶은 채소를 놓아 담아 낸다.

6. 고기 위에 검은깨를 뿌려낸다.

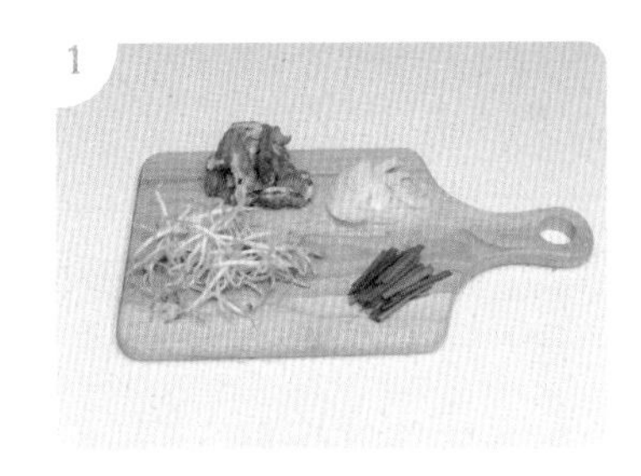
1

2

3

독일식 감자전 콩나물 뢰스티

- 분량 : 2인분
- 조리시간 : 15분
- 난이도 : 하급

"감자를 곱게 채썰어 곱슬한 콩나물과 뒤섞어 바삭하게 지진 요리입니다. 피자, 부침개, 감자칩의 맛이 모두 들어 있는 요리~ 바로 콩나물 뢰스티예요."

| 재료 |

- 콩나물 80g
- 감자 중 1개(150g)
- 소금 1/2작은술
- 후춧가루 1/5작은술
- 박력분 4큰술
- 달걀 1개
- 슬라이스 치즈 2장 (0.3cm 굵기로 다지기)
- 실파 1대(송송 썰기)
- 식용유 1큰술

1. 감자는 곱게 채썬다.

2. 콩나물은 잘 씻어 끓는 물에 1분간 데친다.

3. 볼에 감자, 콩나물, 소금, 후춧가루, 박력분, 달걀을 넣어 섞는다.

   ※Tip※ 재료가 서로 엉겨 붙을 정도만 섞는다.

4. 팬에 식용유를 두르고 달궈지면 반죽 재료를 얇게 올린다.

5. 중불로 지져 밑면이 완전히 익으면 뒤집어 치즈를 올린 후 중불로 2분간 더 지진다.

6. 완성 접시에 담아 송송 썬 실파를 뿌린다.

3

4

5

뢰스티린 스위스 시람들이 즐겨 먹는 간식으로 직역하면 '로스트 한 요리'라는 의미이다. 우리나라의 감자부침개와도 유사하며 그 외 어떤 재료를 넣는지에 따라 맛, 향, 풍미가 달라진다.

숙취야 가라 얼큰 콩나물 김칫국

분량 : 2인분
조리시간 : 25분
난이도 : 중급

"숙취 해소엔 콩나물국만한 것이 없다죠? 자칫 밋밋할 수도 있는 콩나물국에 김치가 들어가 감칠맛까지 더해 얼큰하고 시원한 국입니다."

Ingredients

| 재료 |
- 콩나물 150g
- 찌개용 두부 1/6모(50g)
- 김치 100g
- 청양고추 1개
- 홍고추 1/2개
- 대파 10cm 1대
- 다시물 2½컵
- 들기름 1/3작은술

| 양념 |
- 다진 마늘 1작은술
- 참치액 1큰술
- 소금 1/4작은술
- 고춧가루 1큰술

1. 대파, 청양고추·홍고추는 0.5cm 두께로 어슷썰기 한다. 두부는 사방 1cm 크기로 깍둑썰기 한다. 김치도 1cm 크기로 송송 썬다.

2. 냄비에 들기름을 두른 후 김치를 볶다가 다시물을 붓고 끓인다.

   ※Tip※ 김치를 볶을 때 들기름을 사용하면 김치의 시큼한 맛은 줄여주고 구수한 맛을 살려준다.

3. 보글보글 끓기 시작하면 콩나물, 두부, 양념을 넣고 5분간 더 끓인다.

   ※Tip※ 콩 비린내가 나므로 처음 끓일 때는 뚜껑을 덮고 끓이는 것이 좋다

4. 거의 다 끓여지면 대파, 청양고추, 홍고추를 넣는다.

김치전의 변신 콩나물김치전

- 분량 : 2~3인분
- 조리시간 : 25분
- 난이도 : 중급

"날씨가 흐린 날이나 비 오는 날엔 막걸리에 김치전 많이 생각나시죠? 평범한 김치전보다는 영양과 아삭한 식감까지 곁들여진 김치전 어떠세요? 해장에도 좋은 콩나물을 더해 몸에도 좋아요."

| 재료 |
- 콩나물 100g
- 물 2컵
- 소금 1/3작은술
- 김치 100g
- 부추 20g
- 식용유 3큰술

| 반죽 |
- 부침가루 1/2컵
- 물 1/4컵
- 참치액 1큰술

1. 콩나물은 꼬리를 다듬은 후 끓는 물 2컵에 소금 1/3작은술을 넣고 뚜껑 덮고 1분간 데친다.

   ※Tip※ 콩나물은 데친 후 다른 재료와 섞어야 특유의 비린내가 없어진다.

2. 데친 콩나물은 2cm, 부추는 2cm, 김치는 물기를 짠 후 1cm 길이로 자른다.

   ※Tip※ 전을 지름 6cm 정도로 부치기 때문에 재료는 너무 길지 않게 썬다.

3. 볼에 반죽 재료를 넣고 섞은 후 콩나물, 부추, 김치를 넣고 섞는다.

   ※Tip※ 콩나물과 김치에서 약간의 수분이 나오므로 반죽은 너무 질지 않도록 주의한다. 참치액이 없을 경우에는 국간장이나 액젓으로 대체할 수 있다.

4. 달군 팬에 식용유를 넉넉히 두르고 반죽을 한 숟가락씩 떠서 지름 6cm가 되도록 편 후 중불에서 1분간 굽는다. 밑면이 바삭해지면 뒤집어서 1분 정도 구워 노릇하게 지진다.

   ※Tip※ 팬에서 지져낼 때 윗면의 부침가루 색이 투명해지고 아랫면이 익을 때까지 둔 후 한번만 뒤집어주는 것이 부쳤을 때 맛이 좋다.

시원 칼칼한 오징어 콩나물 유부국

분량 : 2인분
조리시간 : 20분
난이도 : 중급

"타우린이 풍부한 오징어와 아스코르빈산이 풍부한 콩나물이 한데 어울려 보글보글 아침밥상을 책임집니다. 시원한 국물 맛에 숙취 해소는 덤이랍니다."

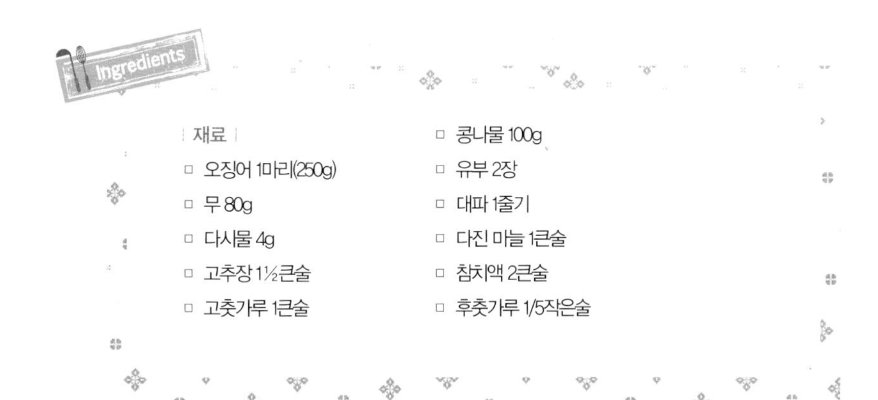

1. 오징어는 껍질을 제거한 후 안쪽에 엑스(X)자 모양으로 촘촘하게 칼집을 넣고 1.5×4cm 크기로 썬다. 무는 1×4cm 크기로 채썰고, 콩나물은 잘 다듬는다.

   ※Tip※ 오징어 껍질을 벗길 때는 물기를 제거하고 키친타월로 벗겨내면 끊기지 않고 잘 벗겨진다.

   ※Tip※ 오징어에 칼집을 넣어주면 덜 질기고 양념이 칼집 사이에 잘 밀착되며 모양도 예쁘다.

2. 냄비에 다시물을 넣어 끓기 시작하면 고추장, 고춧가루, 무를 넣고 끓으면 3분간 중불로 더 끓인다.

3. 콩나물, 유부, 오징어를 넣어 끓어오르면 3분간 중불로 끓인다.

   ※Tip※ 콩나물, 오징어는 오래 끓이면 질겨지므로 3분 이상 끓이지 않는다.

4. 대파, 다진 마늘, 참치액, 후춧가루로 간을 한 후 불을 끈다.

1

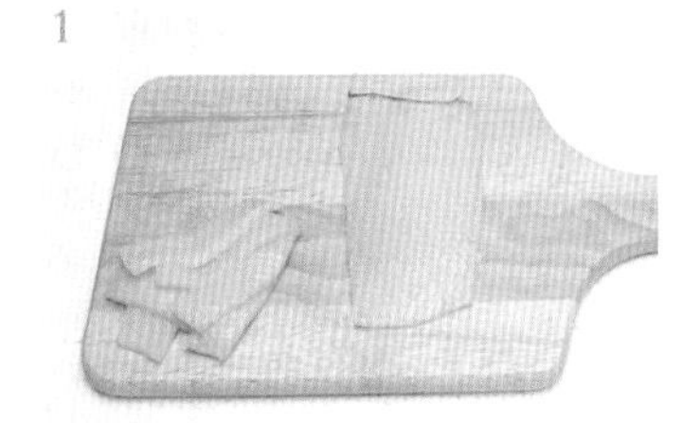

2

3

톡 쏘는 알싸한 맛 콩나물 해파리 냉채

- 분량 : 2인분
- 조리시간 : 30분
- 난이도 : 중급

"쫄깃한 해파리에 아삭한 콩나물을 넣어 식감을 살렸어요. 새콤달콤한 맛에 톡 쏘는 알싸한 매운 맛까지! 입맛을 확 당겨주는 맛이랍니다. 전채요리로 손님상에 내어도 손색이 없는 요리예요."

재료
- 염장 해파리 150g
- 콩나물 100g
- 시판 초절임 해초 30g
- 오이 1/4개
- 비트 10g
- 소금 1/2작은술

소스
- 겨자 1/2큰술
- 설탕 2큰술
- 식초 3큰술
- 간장 1작은술
- 소금 약간
- 청고추 1/3개(다지기)
- 홍고추 1/3개(다지기)

1. 콩나물은 머리, 꼬리를 다듬고 냄비에 소금 1/2작은술을 넣은 끓는 물에 2분간 데쳐 찬물에 넣었다 건져낸다.

   ※Tip※ 콩나물을 찬물에 담갔다 건지면 아삭한 식감이 더 살아난다.

2. 해파리는 찬물에 2~3번 헹군 후 80℃의 따뜻한 물에 30분 정도 불린다. 이 과정을 2~3번 반복해 불린다. 잘 불려졌으면 찬물에 한 번 더 헹궈준 후 체에 밭쳐 물기를 제거한다.

   ※Tip※ 염장 해파리는 소금기를 쪽 빼야 맛이 깔끔하다. 불릴 때 너무 뜨거운 물에 불리면 질겨지므로 주의한다.

3. 오이는 5cm 길이로 썬 후 돌려깎기해서 채썬다. 고추는 잘게 다진다. 초절임 해초는 체에 밭쳐 물기를 제거한다. 비트도 가늘게 채썰고 찬물에 담갔다가 건져낸다.

4. 소스에 다진 고추를 섞는다.

5. 볼에 해파리, 콩나물, 오이를 넣고 소스에 버무린다. 그 후 해초를 섞어 버무린다.

6. 그릇에 담아낸 후 비트를 얹어 장식한다.

1

2

5

NOTE

- 겨자는 시중에서 파는 연겨자(개어 놓은 형태로 파는 겨자)를 사용해도 좋고, 겨자가루를 구입한 후 아래의 방법으로 겨자를 발효해 사용하면 더욱 맛이 좋다.
- **겨자 발효법** : 40℃ 정도 되는 따뜻한 물에 겨자가루를 2:3의 비율로 섞은 후 랩을 씌워 따뜻한 곳에서 10분 정도 발효시킨다. 겨자를 담은 그릇을 따뜻한 냄비 위에 얹어 주거나 전자레인지를 사용해도 좋다. 발효 전 따뜻한 물로 개지 않거나 발효가 제대로 되지 않을 경우 겨자 특유의 톡 쏘는 매운맛이 나지 않고 쓴맛이 날 수가 있으므로 주의해야 한다.

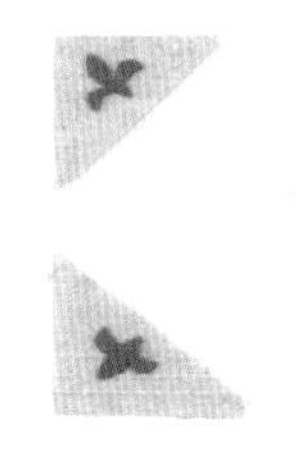

숙취 해소에 최고 황태콩나물국

- 분량 : 2~3인분
- 조리시간 : 20분
- 난이도 : 하급

"콩나물이 숙취 해소에 좋다는 것은 잘 아시죠? 콩나물과 황태는 저지방에 칼슘, 단백질이 풍부할 뿐만 아니라 함께 간을 보호하고 간 기능을 향상시켜 숙취 해소는 물론 피로회복에도 좋은 음식이랍니다."

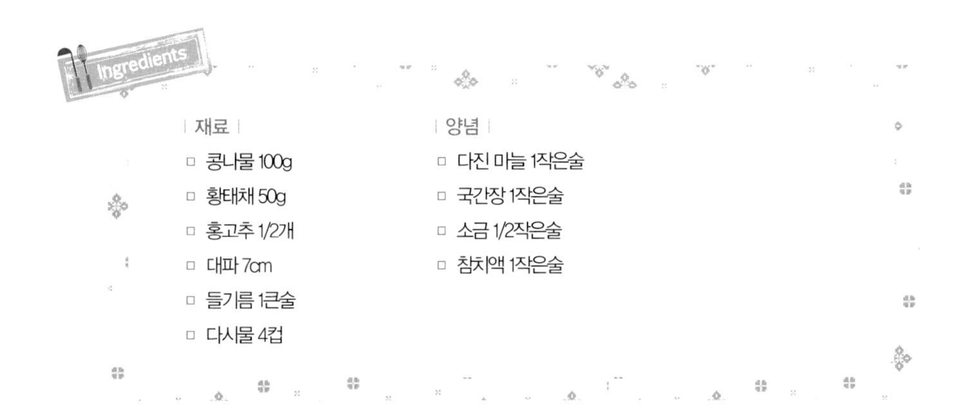

Ingredients

재료

- 콩나물 100g
- 황태채 50g
- 홍고추 1/2개
- 대파 7cm
- 들기름 1큰술
- 다시물 4컵

양념

- 다진 마늘 1작은술
- 국간장 1작은술
- 소금 1/2작은술
- 참치액 1작은술

1. 콩나물은 꼬리를 다듬고 황태채는 5cm 길이로 찢고 물에 1분간 적신 후 면보로 물기를 없앤다. 홍고추는 0.3cm 폭으로 어슷썰기 하고 대파도 어슷썰기 한다.

2. 약불로 달군 냄비에 들기름을 두르고 황태채를 넣어 30초간 볶다가 다시물을 넣고 강불에서 끓기 시작하면 콩나물, 양념을 넣고 5분간 끓인다.

3. 2가 끓으면 홍고추, 대파를 넣고 1분간 더 끓인다.

1

2

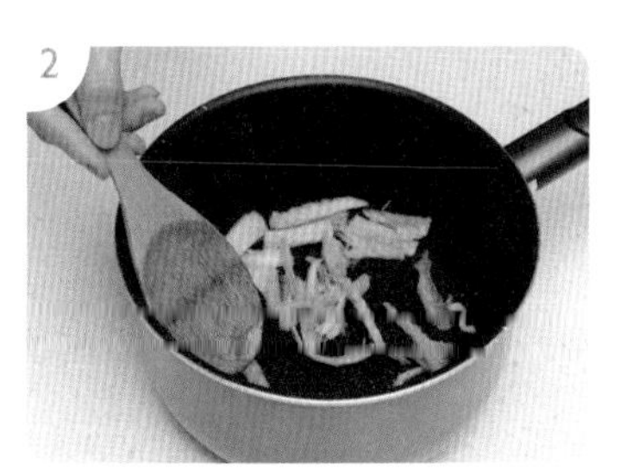

3

NOTE

콩나물을 고를 때는 되도록 뿌리가 너무 길지 않고 잔뿌리가 적은 것이 좋다. 또한 콩나물을 다듬어서 보관하게 되면 잘려진 단면에서 영양 성분이 빠져나와 갈변이 되므로 가급적 손질하지 않은 상태에서 보관하는 것이 좋다. 또한 햇빛에 노출되면 머리가 파랗게 변색되고 억세지므로 보관 시 종이봉투나 투명하지 않은 비닐 봉지를 이용해 냉장 보관하는 것이 좋다.

속 편한 요리 오징어 콩나물죽

- 분량 : 2인분
- 조리시간 : 30분
- 난이도 : 중급

"자극적인 음식은 먹고 나면 탈이 나기 마련이에요. 진한 감칠맛과 씹는 맛을 동시에 충족시키는 요리가 죽인데요. 속을 편하고 든든하게 하는 오징어 콩나물죽입니다."

Ingredients

| 재료 |
- □ 오징어 다리 100g(2마리 분량)
- □ 콩나물 100g
- □ 불린 표고 1개
- □ 당근 1/6개
- □ 쌀 1⅓컵
- □ 물 8컵
- □ 참기름 1큰술
- □ 소금 1작은술
- □ 검은깨 1/2작은술
- □ 깨 1/2작은술

| 오징어 밑간 |
- □ 국간장 1작은술
- □ 참기름 2작은술

Directions

1. 오징어는 다리를 잘게 다진다. 국간장과 참기름으로 밑간을 한다.
2. 콩나물은 꼬리만 떼어 준비한다. 불린 표고, 당근은 잘게 다진다.
3. 쌀은 불린 후 밀대로 빻아 1/2 크기로 만든다.
4. 냄비에 오징어, 쌀을 넣어 3분간 중불로 볶다가 물을 넣어 끓으면 표고, 당근을 넣어 중불로 약 20분간 끓인다.
5. 콩나물을 넣어 5분간 끓인다.
6. 참기름, 소금을 넣어 간을 한 후 볼에 담아 검은깨, 깨를 올린다.

2

4

5

NOTE

죽을 끓일 때는 뚜껑을 열고 끓이며 소금 간은 불 끄기 직전에 한다. 죽을 저어줄 때는 숟가락과 같은 쇠 주걱이 아닌 나무 주걱으로 저어주어야 죽이 삭지 않는다.

양념에 쓱쓱 비벼 먹는 콩나물 표고밥

- 분량 : 2인분
- 조리시간 : 25분
- 난이도 : 하급

"항상 먹는 밥이 식상할 땐 콩나물을 넣고 밥을 해보세요. 별다른 반찬 없이도 입에 착착 달라 붙습니다."

Ingredients

| 재료 |

- 콩나물 100g
- 쌀 1½컵(불린 후 2½컵)
- 불린 표고 2개
- 물 2컵(400ml)

| 양념장 |

- 간장 3큰술
- 물 2큰술
- 다진 마늘 1작은술
- 깨 1작은술
- 고춧가루 1작은술
- 참기름 1큰술

Directions

1. 콩나물은 불순물을 제거하고 깨끗이 씻은 후 꼬리를 제거하고, 표고는 물에 담가 말랑하게 불려 기둥을 제거한 후 곱게 채 썬다.

   ※ Tip ※ 콩나물 꼬리는 오랜 시간 열을 가하면 질겨지니 떼어내고 조리한다.

2. 쌀은 3회 정도 헹구며 씻어 찬물에 30분간 불린다.

3. 냄비에 불린 쌀, 콩나물, 표고버섯을 올리고 물을 붓는다.

   ※ Tip ※ 밥의 물량은 평소보다 약간 덜 넣는데 콩나물에서 수분이 빠져 나오기 때문이다.

4. 뚜껑을 닫은 후 강불(3분) → 중불(8분) → 약불(3분)로 순서와 시간을 지켜 밥을 한다.

   ※ Tip ※ 밥이 되는 중간에 뚜껑을 열면 콩나물 비린내가 나므로 뚜껑을 열지 않는다.

5. 완성 그릇에 밥을 담고 양념장을 곁들인다.

달콤짭짤한 콩나물이 김밥과 만나

데리야끼 콩나물 김밥

분량 : 2인분
조리시간 : 25분
난이도 : 중급

"달콤 짭짤한 데리야끼 소스에 조린 콩나물이 김밥 안에 들어가 김밥 속 맛이 궁금해지는 그런 요리인데요. 다른 반찬 필요 없는 데리야끼 콩나물 김밥입니다."

재료

- 밥 300g
- 김밥 김 2장
- 달걀 1개
- 새싹 채소 10g
- 콩나물 150g
- 소금 1/2큰술
- 식용유 1작은술

밥 양념

- 소금 1/3작은술
- 참기름 2작은술

데리야끼 소스

- 간장 1큰술
- 맛술 1큰술
- 설탕 1큰술
- 물 2큰술
- 양파 10g (다지기)
- 다진 마늘 1작은술

1. 데리야끼 소스는 분량대로 섞는다.

2. 밥은 뜨거울 때 소금과 참기름을 넣고 양념을 한다.

3. 냄비에 콩나물, 데리야끼 소스를 분량대로 넣고 소스가 완선히 없어질 때까지 약 8분간 중불로 조린다.

4. 달걀은 흰자와 노른자를 나눠 곱게 푼다. 팬에 식용유를 1작은술 두르고 달걀을 도톰하게 부친다. 식으면 두께 1cm의 김밥 길이로 썬다.

Tip 달걀은 식은 후 썰어야 달걀이 부서지지 않고 모양이 매끈하다.

5. 김발에 김을 올리고 양념한 밥을 펼친 후 달걀, 데리야끼 콩나물 조림, 새싹 채소를 올려 돌돌 만다.

6. 한입 크기로 잘라 완성한다.

1

3

5

NOTE

데리야끼 소스는 주로 생선 요리에 사용하지만 닭고기, 돼지고기, 채소 요리의 조림에 사용하면 달고 짭조름한 감칠맛을 준다.

돌돌 말은 김치 콩나물 깻잎김치

분량 : 2인분
조리시간 : 20분
난이도 : 하급

"김치는 만들기 어렵다고요? 깻잎 안에 김치 양념한 콩나물을 넣어 돌돌 말아보세요. 만들기도 쉽고 맛 또한 끝내줍니다."

| 재료 |

- □ 재료
- □ 깻잎 10장
- □ 콩나물 100g
- □ 양파 1/4개
- □ 당근 1/8개

| 깻잎 절임물 |

- □ 물 1/2컵
- □ 천일염 1/2큰술

| 김치 양념 |

- □ 고춧가루 1큰술
- □ 참치액 1큰술
- □ 간장 1작은술
- □ 다진 마늘 1작은술
- □ 설탕 2작은술
- □ 깨 1작은술

1. 깻잎은 흐르는 물에 깨끗이 씻어 깻잎 절임물에 담가 10분간 절인다.

   ※Tip※ 깻잎은 오래 절이면 변색이 되고 향도 사라지므로 10분 이상 절이지 않는다.

2. 절인 깻잎은 체에 밭쳐 수분을 뺀다.
3. 콩나물은 끓는 물에 1분간 데쳐 꺼낸 후 식힌다.
4. 양파, 당근은 3cm 정도 길이로 곱게 채썬다.
5. 콩나물, 양파, 당근을 김치 양념에 버무린다.
6. 깻잎 위에 김치 양념에 버무린 재료를 1큰술씩 넣어 돌돌 만다.

1

5

6

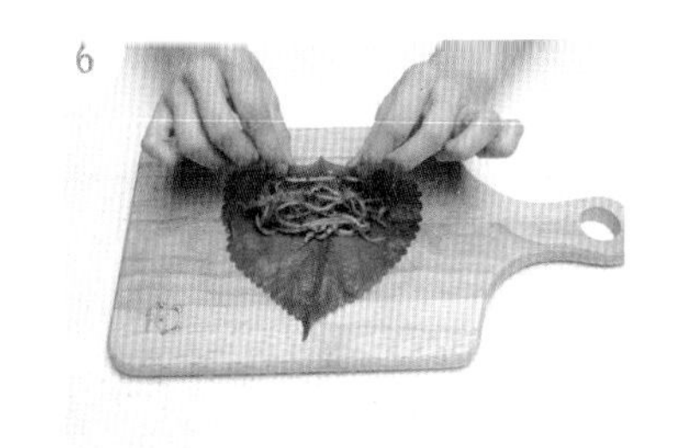

아삭아삭 소리까지 맛있는 콩나물 무침

분량 : 2인분
조리시간 : 15분
난이도 : 하급

"가장 만만하면서도 가장 맛내기 어려운 반찬이 콩나물 무침인데요. 콩나물 익히는 방법만 제대로 배우면 누구나 만만하게 만들 수 있습니다."

| 재료 |

- □ 콩나물 200g
- □ 소금 1작은술(삶는 용)
- □ 대파 5cm(채썰기)

| 무침 양념 |

- □ 다진 마늘 1작은술
- □ 참치액 1작은술
- □ 고춧가루 1작은술
- □ 소금 1/3작은술
- □ 참기름 1작은술
- □ 깨 1작은술

1. 콩나물은 콩 껍질을 떼어내고 볼에 물을 담아 깨끗이 세척한다.

2. 끓는 물에 소금, 콩나물을 넣고 끓으면 뒤집어 뚜껑 닫아 1분간 데친다.

   ※Tip※ 소금 넣고 콩나물을 데치면 물의 온도가 쉽게 떨어지지 않는다.

3. 체에 건진 후 펼쳐 식힌다.

   ※Tip※ 찬물에 헹구면 콩나물에서 냄새가 날 수 있으므로 체에 펼쳐 수분과 열기를 식힌다.

4. 무침 양념을 분량대로 만들어 데친 콩나물, 대파 채와 버무린다.

   ※Tip※ 콩나물에서 수분이 나오므로 처음 버무릴 때 맛이 조금 짜다 싶어야 밥상에 올렸을 때 간이 알맞다.

2

3

4

맛있는 밥도둑 콩나물 버섯 장조림

- 분량 : 2인분
- 조리시간 : 20분
- 난이도 : 하급

"콩나물은 데치고, 끓이고, 무치고 등 다양하게 조리되는데요. 콩나물 조림은 조금 생소하죠. 막상 만들어 놓으면 양이 얼마 되지 않아 허무하긴 하지만 일단 맛을 보면 또 만들게 되는 밑반찬이랍니다."

| 재료 |
- 콩나물 200g
- 미니 새송이버섯 150g
- 물엿 2작은술
- 참기름 1작은술
- 깨 1작은술

| 장조림 양념 |
- 간장 1큰술
- 맛술 2큰술
- 설탕 1작은술
- 다진 마늘 1작은술

1. 콩나물은 콩 껍질을 벗겨내고, 새송이버섯은 작은 송이를 세로로 반 가른다.

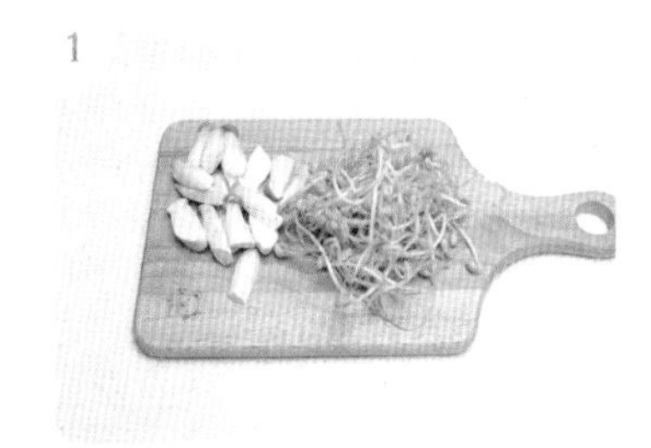

2. 팬에 장조림 양념을 넣어 가열하다 끓어오르면 콩나물, 새송이버섯을 넣어 조린다.

   ※Tip※ 양념이 끓을 때 콩나물을 넣어야 콩나물이 덜 질기다.

3. 조림장이 1작은술 정도 남으면 물엿, 참기름, 깨를 넣어 버무린다.

콩나물 버섯 장조림은 냉장고에 넣어두면 수분이 촉촉하게 생기는데 밥에 비벼먹으면 한 그릇 뚝딱할 수 있는 별미 밥도둑이다.

더위 잡고 입맛 살리는 콩나물 방울토마토 냉국

분량 : 2인분
조리시간 : 20분
난이도 : 하급

"상큼하고 시원한 냉국 어떠세요? 토마토가 들어가 영양도 좋고 빛깔도 예쁜 냉국, 석류액이 들어간 흑초로 몸이 더 건강해지는 냉국이랍니다."

| 재료 |
- 콩나물 50g
- 방울토마토 5개(50g)
- 오이 5cm(20g)
- 양파 1/8개
- 청고추 1/3개
- 홍고추 1/3개
- 물 1컵
- 소금 1꼬집
- 소금 1/3작은술(데침용)

| 양념 |
- 소금 1/2작은술
- 설탕 2큰술
- 국간장 1큰술
- 발효흑초(석류) 3큰술 (식초로 대체 가능)
- 생수 2컵

1. 콩나물을 끓는 물에 소금을 넣고 1분간 데친다.

2. 오이는 돌려깎기해서 가늘게 채썬다. 양파는 가늘게 채썬다. 방울토마토는 먹기 좋게 2~4등분한다. 청·홍고추도 가늘게 채썬다.

3. 생수에 분량의 양념을 넣어 잘 섞어준다.

4. 볼에 **2**를 모두 넣어 가볍게 섞어준 후 **3**을 부어준다. 얼음을 띄우면 더 시원하게 즐길 수 있다.

※Tip※ 얼음을 띄우면 싱거워지므로, 얼음을 넣을 땐 간을 1.5배 정도 더 추가하는 것이 좋다.

1

3

4

Part 3

두부

CONTENTS

한 끼 식사로도 거뜬한 두부부침 샐러드

- 분량 : 2~3인분
- 조리시간 : 15분
- 난이도 : 중급

"샐러드는 보통 서양식 샐러드 드레싱으로 많이 만드셨죠? 어른들은 입맛에 맞지 않는 분들도 계셨을 거예요. 한국인의 입맛에 딱 맞고 두부의 담백한 맛과도 잘 어울리는 오리엔탈 드레싱으로 만들어 봤어요."

| 재료 |
- 부침용 두부 1/2모(150g)
- 영양부추 30g
- 방울토마토 4개
- 블랙올리브 3알
- 그린올리브 3알
- 양파 1/6개
- 식용유 2큰술

| 드레싱 |
- 양파 10g
- 다진 마늘 1작은술
- 간장 2큰술
- 올리브유 3큰술
- 식초 2큰술
- 설탕 2큰술
- 레몬즙 1작은술
- 깨 1/2작은술

1. 두부는 사방 2cm 크기로 썬다. 방울토마토는 2~4등분하고 블랙올리브, 그린올리브는 0.2cm 크기로 썬다. 영양부추는 3cm 길이로 썬다. 양파는 02.cm 폭으로 채썬다.

2. 팬에 식용유를 두르고 예열시킨 후 두부를 앞뒤로 노릇하게 지져낸다.

   ※Tip※ 드레싱 재료는 뿌리거나 무치기 직전에 만든다. 간이 싱거워지지 않아 먹기 좋다.

3. 다진 양파와 마늘은 각각의 드레싱 재료를 넣고 거품기로 섞어준다.

4. 큰 볼에 1의 재료를 넣고 드레싱을 넣어 가볍게 버무려 준 후 그릇에 예쁘게 담아낸다.

   ※Tip※ 섞어줄 때는 두부와 채소들이 물러지지 않도록 살살 버무린다.

1

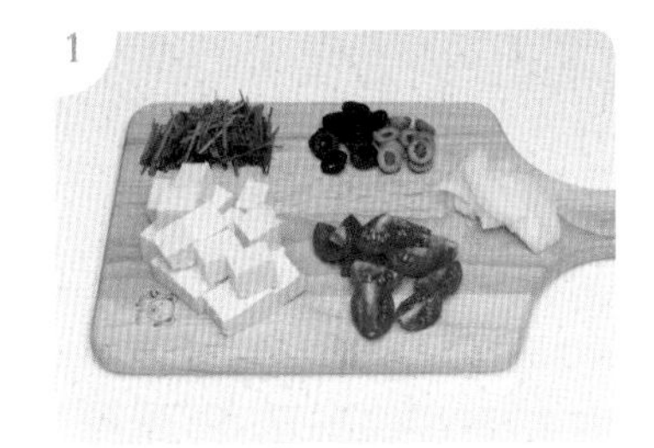

2

4

NOTE

오리엔탈 드레싱이란 프렌치 드레싱에 간장과 깨를 넣은 것으로 두부나 한식 샐러드에 많이 이용된다.

색깔에 한 번, 맛에 두 번 반하는 두부 소보로 지라시 초밥

- 분량 : 2인분
- 조리시간 : 40분
- 난이도 : 중급

"지라시"는 흩뿌린다는 뜻의 일본말입니다. 여러 가지 재료를 밥 위에 뿌려 섞어서 먹는 초밥요리인데요. 밥 위에 보슬보슬한 두부 소보로를 얹었더니 모양도 맛도 일품입니다."

| 재료 |
- 밥 1½공기
- 부침용 두부 1/3모 (100g)
- 달걀 1개(황백지단)
- 오이 1/4개
- 불린 표고 1개
- 양파 1/6개
- 무순 10g
- 날치알 2큰술
- 새싹 채소 10g
- 새우 3마리(20g)
- 소금 1꼬집
- 흰 후춧가루 약간

| 표고양념 |
- 간장 1/2작은술
- 설탕 1/4작은술
- 다진 마늘 1/4 작은술
- 참기름 약간

| 단초물 |
- 식초 1/3컵
- 설탕 1/4컵
- 소금 1큰술

1. 두부는 면보에 물기를 제거한 후 볼에 으깬다. 예열시킨 팬에 두부를 넣고 으깨며 볶는다. 이때 소금, 후춧가루를 약간 넣고 보슬보슬하게 익혀 수분을 완전히 없앤다.

2. 단초물 재료를 냄비에 넣고 설탕, 소금이 녹을 때까지 끓인 후 식힌다.

3. 오이는 돌려깎기 한 후 채썰고, 양파도 가늘게 채썬다. 불린 표고도 가늘게 채썬다.

4. 오이, 양파는 단초물을 자작하게 부어 절이고 불린 표고는 양념을 해서 무친 후 팬에 볶는다.

5. 달걀은 황백지단을 부쳐 채썰고, 새우는 뜨거운 물에 데쳐 2등분한다.

6. 뜨거운 밥에 단초물 1½큰술을 넣고 주걱을 세워서 섞는다.

7. 절인 채소의 물기를 제거하고 다른 재료와 함께 준비한다.

8. 그릇에 6을 담은 후 그 위에 1(두부 소보로)을 골고루 뿌린다.

9. 준비된 재료들을 8 위에 보기 좋게 얹은 후 새싹 채소, 날치알, 무순을 예쁘게 올린다.

NOTE

두부를 으깨서 볶으면 콩 비린내가 나지 않고 탄탄하고 쫄깃해 씹는 맛도 좋아진다. 고기 대용으로 사용해도 좋다.

몸에 좋은 웰빙 비빔밥 **베지테리언 두부 비빔밥**

- 분량 : 1인분
- 조리시간 : 25분
- 난이도 : 중급

"고기 없이도 풍부한 영양과 맛을 챙길 수 있는 요리가 있습니다. 고단백질 두부를 올려 열량은 줄이고 영양은 한껏 올린 채소 듬뿍 두부 비빔밥입니다."

| 재료 |

- 부침용 두부 1/3모(150g)
- 불린 표고 2개
- 콩나물 100g
- 오이 1/3개(50g)
- 당근 1/6개(30g)
- 달걀 1개
- 밥 1공기(200g)
- 소금 1/3작은술
- 식용유 1큰술

| 표고버섯, 콩나물 양념 |

- 간장 1큰술
- 설탕 1작은술
- 참기름 1큰술

| 매실비빔장 |

- 고추장 2큰술
- 매실액 1큰술
- 다진 마늘 1작은술
- 꿀 1큰술
- 깨소금 1큰술
- 참기름 1큰술

1. 두부는 1×1×1cm의 주사위 모양으로 썰어 소금 간을 한 후 수분을 없애고 식용유를 두른 팬에 노릇하게 지진다.

2. 표고버섯은 곱게 채썬다. 콩나물은 끓는 물에 데쳐 식힌다. 표고버섯과 콩나물을 각각 양념한다

3. 오이, 당근은 곱게 채썰어 소금에 10분간 절인다.

   :: Tip :: 소금 간을 하면 간이 잘 배고 볶은 후 더 이상 수분이 나오지 않는다.

4. 달걀은 황백으로 분리하여 소금으로 간을 한다.

5. 팬에 달걀지단을 부친다. 오이를 볶는다. 당근을 볶는다. 표고버섯을 볶는다.

   :: Tip :: 여러 종류의 식재료를 볶을 때, 색이 연한 것부터 부치거나 볶으면 중간에 팬을 세척하지 않아도 된다.

6. 밥 위에 준비한 재료를 올리고 분량대로 섞은 고추장 매실비빔장을 얹는다.

1

3

5

비빔장에 매실액을 넣어 주면 살균효과가 있어 식중독을 예방하며 소화 촉진에도 도움을 준다.

두부, 달걀, 밥의 삼위일체

두부 소보루 달걀볶음밥

- 분량 : 2인분
- 조리시간 : 20분
- 난이도 : 중급

"탱글탱글 밥알과 보들보들 두부를 노란 달걀이 감싸 안은 요리인데요. 고소한 냄새에 저절로 수저를 들게 만드는 두부 소보루 달걀볶음밥입니다."

Ingredients

| 재료 |

- □ 부침용 두부 1/3모(100g)
- □ 밥 300g(1과1/2공기)
- □ 마늘 2톨
- □ 대파 1/2줄기
- □ 식용유 2큰술
- □ 맛살 50g
- □ 달걀 2개
- □ 검은깨 1작은술
- □ 실파 1대(송송 썰기)
- □ 다진 파슬리 1/3작은술
- □ 소금 1/2작은술
- □ 후춧가루 1/5작은술

Directions

1. 두부는 면보로 수분을 제거한 후 칼배로 으깨어 팬에 중불로 2분간 보슬하게 볶는다.

   ※Tip※ 두부의 수분이 완전히 없어지도록 볶아야 볶음밥이 질척이지 않는다.

2. 마늘은 0.2cm 두께로 편썰고 대파는 송송 썬다. 맛살은 4cm 길이로 잘라 가늘게 찢는다.

3. 팬에 식용유 1큰술을 두르고 마늘, 대파를 30초간 볶다가 밥, 맛살을 볶는다.

4. 볶아 놓은 재료를 다른 용기에 덜고 깨끗한 팬에 식용유 1큰술을 두른 후 달걀을 볶다가 반숙이 되면 미리 볶은 재료들을 넣고 고루 섞일 때까지 1분간 볶는다.

   ※Tip※ 달걀이 반숙된 상태에서 재료를 넣어야 달걀이 재료들에 밀착된다.

5. 검은깨, 실파, 파슬리, 소금, 후춧가루로 마무리한다.

1

3

4

NOTE

찬밥 1공기당 마요네즈 1작은술을 올려 전자레인지에 30초간 데운 후 볶음밥에 활용하면 밥알이 잘 풀어지고 윤기도 나며 한결 고소하다.

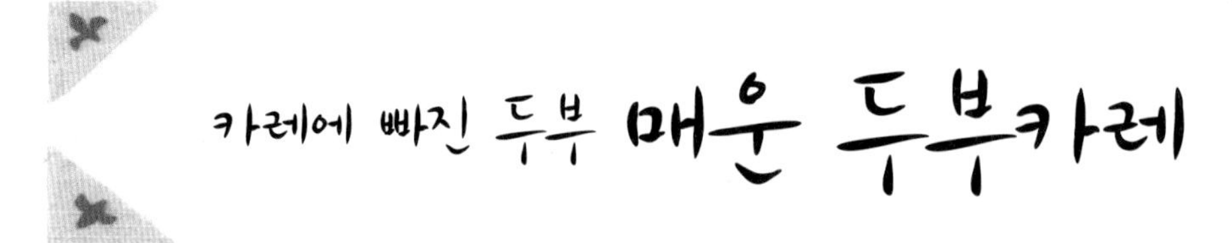

카레에 빠진 두부 매운 두부카레

- 분량 : 2인분
- 조리시간 : 25분
- 난이도 : 중급

"청양고추를 넣어 매운맛을 살리고 밥과 비벼 먹을 때 한층 부드러운 식감을 주기 위해 두부를 넣었어요. 컬러푸드의 선두주자로 맛은 물론 항암효과도 우수하다는 카레! 가족 한끼 식사로 그만이랍니다."

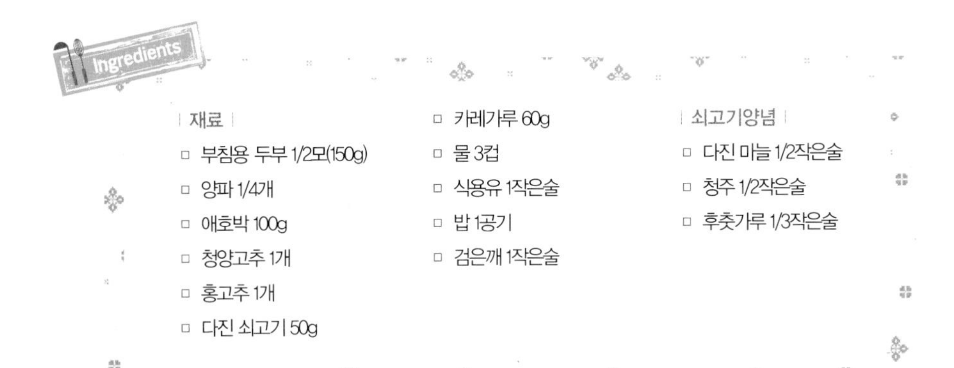

| 재료 |
- □ 부침용 두부 1/2모(150g)
- □ 양파 1/4개
- □ 애호박 100g
- □ 청양고추 1개
- □ 홍고추 1개
- □ 다진 쇠고기 50g
- □ 카레가루 60g
- □ 물 3컵
- □ 식용유 1작은술
- □ 밥 1공기
- □ 검은깨 1작은술

| 쇠고기양념 |
- □ 다진 마늘 1/2작은술
- □ 청주 1/2작은술
- □ 후춧가루 1/3작은술

1. 두부는 사방 1.5cm 크기로 깍둑 썬다.
2. 양파, 애호박도 1.5cm 크기로 깍둑 썬다. 청홍고추는 0.5cm로 썬다.
3. 다진 쇠고기는 양념으로 밑간을 한다.
4. 팬에 식용유를 두른 후 쇠고기를 볶다가 양파, 호박을 넣고 1분간 볶는다.
5. 물과 카레가루를 섞어 4에 넣고 잘 섞는다.
6. 강불로 올려 끓어오르면 중불로 줄여서 두부를 넣고 청양고추, 홍고추를 넣고 1분간 더 끓인다.
7. 완성 그릇에 밥과 카레를 담고 검은깨를 뿌린다.

2

5

6

맵고 칼칼한 소스에 두부가 숨어 있는 마파두부 덮밥

분량 : 2인분
조리시간 : 20분
난이도 : 하급

"가끔씩 매운 음식이 생각날 때가 있는데요. 그럴 때 흰 쌀밥 위에 빨간 소스가 군침 돌게 하는 마파두부 덮밥 어떤가요? 주말 별식으로 딱이에요."

| 재료 |

- 밥 2공기(400g)
- 찌개용 두부 1/2모(150g)
- 다진 돼지고기 80g
- 다진 마늘 1큰술
- 대파 1대(다지기)
- 고춧가루 1큰술
- 식용유 3큰술
- 참기름 1작은술
- 검은깨 1/3작은술

| 두부 데칠 물 |

- 물 4컵
- 소금 1작은술

| 마파소스 |

- 청고추 1/2개(다지기)
- 홍고추 1/2개(다지기)
- 두반장 2큰술
- 설탕 1큰술
- 물 2컵

| 물녹말 |

- 녹말가루 2큰술
- 물 3큰술

1. 두부는 사방 1cm 정도로 썰어 끓는 물에 소금 1작은술을 넣고 30초간 데친다.

   ×Tip× 두부를 소금물에 데치면 두부가 부서지지 않고 간이 밴다.

2. 팬에 식용유 3큰술을 두르고 다진 마늘, 다진 대파, 고춧가루를 약불로 30초간 볶는다. 고춧가루가 잘 타므로 약불로 충분히 볶는다.

   ×Tip× 식용유에 다진 마늘, 다진 대파, 고춧가루를 볶으면 향신 고추기름 역할을 한다.

3. 2에 돼지고기를 넣어 볶다가 마파소스를 넣어 2분간 끓인다.

4. 3에 데친 두부를 넣어 1분간 끓으면 물녹말을 만들어 넣는다.

5. 농도가 되직해지면 참기름을 넣어 윤기를 낸 후 밥에 붓는다.

1

2

4

NOTE

마파두부(麻婆豆腐)라는 이름의 유래에 대해서는 여러 가지 설들이 있다. 중국 구조편집백과사전에 수록된 가장 일반적인 유래로는 청조 진씨 집안으로 시집 간 유씨 성을 가진 곰보 할머니(麻婆·사람들은 진마파라 불렀다 함)가 이 음식을 만들었다고 한다. 또 다른 유래로는 마씨 노인이 가난한 일꾼들을 위해 고기를 넣고 두부 요리를 만들었는데, 그것이 인기가 좋아 마파두부라는 음식이 됐다는 이야기다. 곰보 자국의 노인 혹은 마씨 성의 노인이 만든 두부요리가 마파두부인 것이다.

먹음직한 일본식 삼각주먹밥 두부 된장 오니기리

- 분량 : 2인분
- 조리시간 : 15분
- 난이도 : 하급

"찬밥이 남았다고요? 으깬 두부와 약간의 야채를 넣어 된장으로 간을 해 보세요. 큼직하게 뭉쳐 모양낸 후 팬에 지져 내면 먹음직스런 영양 간식이 됩니다."

| 재료 |
- □ 밥 1½공기(300g)
- □ 부침용 두부 1/3모(100g)
- □ 햄 50g(다져 볶기)
- □ 영양부추 20g(송송 썰기)
- □ 된장 1큰술
- □ 참기름 1작은술
- □ 깨 1작은술
- □ 설탕 1작은술
- □ 간장 1작은술
- □ 식용유 1작은술
- □ 새싹 야채 5g

| 된장소스 |
- □ 된장 1큰술
- □ 마요네즈 1큰술
- □ 맛술 1큰술
- □ 물엿 1큰술

1. 두부는 으깬 후 면보로 물기를 없앤다. 햄은 잘게 다져 볶고 영양부추는 송송 썬다.

   ×Tip× 두부의 수분이 남아 있으면 오니기리가 뭉쳐지지 않고 쉽게 풀어진다.

2. 볼에 밥, 두부, 햄, 영양부추, 된장, 참기름, 깨, 설탕, 간장을 넣어 섞는다.

3. 삼각형으로 모양을 낸다.

4. 팬에 식용유를 두르고 오니기리의 5면을 노릇하게 고루 구워낸다.

   ×Tip× 단면을 충분히 구워야 밥과 두부의 고소한 냄새가 진해진다.

5. 완성 접시에 담아 새싹 야채를 올린 후 된장소스를 뿌린다.

1

3

4

NOTE

- '오니기리'란 '잡다'라는 뜻의 일본어 명사형인 '니기리'에서 나온 말이다. 주먹 크기로 밥을 뭉쳐 김으로 싼 일본 요리로 간편하게 한끼 식사를 해결할 수 있다.
- 영양부추란 잎이 가늘고 단단하며 향이 진한 실부추이다. 쉽게 물러지지 않아 샐러드나 무침용으로도 사용한다.

감각 있게 담아보자 참치마요 두부타워

분량 : 1인분
조리시간 : 25분
난이도 : 중급

"같은 음식이라도 어떤 식기에 어떻게 담는지에 따라 맛도 달라집니다.
각각의 재료를 높게 쌓아 올린 두부타워 만들어 볼까요?"

재료

- 밥 1/2공기(100g)
- 부침용 두부 1/3모(100g)
- 오이 1/3개(40g)
- 당근 30g
- 캔 참치 60g
- 새싹 야채 3g
- 마요네즈 1/2큰술
- 식용유 1작은술
- 미니 원기둥 틀

두부양념

- 소금 1/3작은술
- 후춧가루 1/5작은술
- 참기름 1작은술

참치양념

- 고추장 1작은술
- 마요네즈 1작은술
- 소금 1/3작은술
- 후춧가루 1/5작은술
- 검은깨 1/3작은술

1. 두부는 충분히 으깨어 수분을 없앤 후 양념하여 팬에 2분간 보슬하게 굽는다.
2. 오이, 당근은 곱게 다져 식용유 두른 팬에 강불로 각각 볶는다.
3. 캔 참치는 기름을 완전히 뺀 후 잘게 으깨 참치양념에 버무린다.
4. 원기둥 틀 안에 각각 준비한 재료를 꼼꼼히 눌러가며 채운다.
5. 틀을 빼낸 후 새싹 야채를 올리고 마요네즈를 뿌린다.

1

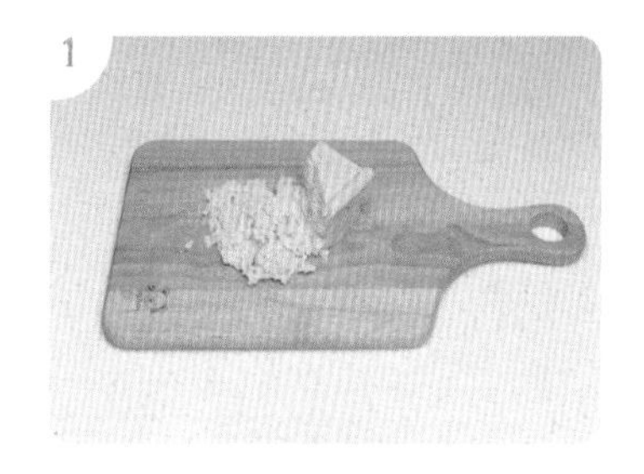

NOTE

원기둥 모양 틀이 없다면 음료 패트병을 8cm 길이로 잘라 사용하여도 좋다.

떡갈비의 변신은 무죄 두부 참깨 떡갈비

- 분량 : 2인분
- 조리시간 : 40분
- 난이도 : 중급

"갈비살로만 했던 떡갈비는 식상하죠? 좀 더 색다르게 만들어 보면 어떨까요? 두부가 들어가 더 담백하고, 참깨가 들어가 고소한 두부 떡갈비입니다."

Ingredients

| 재료 |
- 부침용 두부 1/2모 (150g)
- 다진 닭고기 100g
- 양파 1/2개(50g)
- 비트 10g
- 무순 10g
- 깨 1/2컵
- 검은깨 1/4컵

| 양파 절임물 |
- 물 1/3컵
- 소금 1/3작은술

| 닭고기 양념 |
- 다진 마늘 1작은술
- 대파 5cm(다지기)
- 굴소스 1큰술
- 설탕 1작은술
- 빵가루 2큰술
- 맛술 1작은술
- 깨소금 1/2작은술
- 후춧가루 약간
- 참기름 1큰술

| 간장소스 |
- 간장 1큰술
- 다시물 2큰술
- 레몬즙(또는 식초) 1큰술
- 설탕 1작은술

Directions

1. 두부는 면보로 수분 제거 후 으깬다.

2. 양파는 반은 다지고 나머지 반은 곱게 채썬다. 채썬 양파는 절임물에 5분간 살짝 절여 물기를 제거한다. 비트도 가늘게 채썰어 물에 담갔다 건져 물기를 제거한다.

3. 볼에 으깬 두부, 다진 양파, 닭고기, 닭고기 양념을 넣고 섞어서 치대준다.

   ※Tip※ 그냥 섞는 것보다 여러 번 치대면 반죽이 부스러지지 않고 윤기가 돌아 훨씬 부드럽다.

4. 깨, 검은깨는 섞어준다.

5. 3의 반죽을 4cm 크기, 두께 1cm 정도로 네모지게 빚는다.

6. 5를 4에 넣어 모양이 흐트러지지 않도록 눌러가며 묻혀준다.

7. 오븐 팬에 유산지나 쿠킹호일을 깔고 190℃로 예열된 오븐에서 약 15분간 굽는다.

8. 완성된 떡갈비를 담고 그 옆에 채썬 양파, 무순, 비트를 담아내고 간장소스를 곁들인다.

3

6

7

NOTE

검은깨, 깨는 두피에 영양을 주어 새치, 탈모 예방에 좋고 비타민 E가 풍부해 기미, 피부노화방지에도 탁월하며 피부 건조나 아토피에도 효과가 좋은 식재료로 알려져 있다.

친근하고 질리지 않는 밑반찬 **두부 매콤 조림**

- 분량 : 2인분
- 조리시간 : 15분
- 난이도 : 하급

"어릴 적 두부 한 모 심부름 해보지 않은 사람 드물죠. 두부는 오랜 시간 우리 식탁 위에 자주 올라오는 친숙한 식재료입니다. 매콤한 양념이 두부 속에 쏙 배어든 두부 매콤 조림, 밥반찬으로 딱이에요."

Ingredients

| 재료 |
- 부침용 두부 2/3모(200g)
- 소금 1/4작은술
- 대파 3cm(채썰기)
- 깨 1/3작은술
- 식용유 2큰술

| 매콤 조림장 |
- 간장 1큰술
- 참치액 1큰술
- 고춧가루 1큰술
- 다진 마늘 1작은술
- 설탕 1큰술
- 들기름 1큰술
- 후춧가루 1/5작은술
- 깨 1/4작은술
- 물 2/3컵

1. 두부는 단단한 부침용으로 준비하여 가로세로 4×3cm, 두께 5×0.8cm로 썬다. 바닥에 면보를 깔고 두부를 올린 후 소금을 고루 뿌려 10분간 재운다.

   ※Tip※ 소금을 뿌려 간수를 빼면 두부가 단단해지며 밑으로 빠지는 수분은 면보가 흡수해 준다.

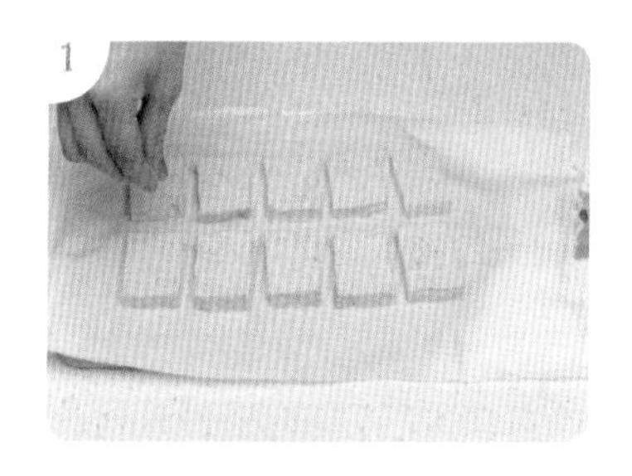

2. 팬에 식용유를 두르고 달아오르면 두부를 올려 양면을 노릇하게 지진다.

   ※Tip※ 낮은 온도의 팬에 두부를 올리면 두부가 팬 바닥에 눌어붙으므로 중불 이상으로 달궈지면 두부를 올린다.

3. 두부를 냄비에 올리고 조림장을 부어 국물을 끼얹어가며 2큰술 정도 남을 때까지 약불로 조린다.

4. 완성 접시에 올린 후 남은 조림장을 얹는다.

   ※Tip※ 완성된 후에도 두부가 조림장을 흡수하므로 2큰술 정도는 남겨야 조림이 촉촉하다.

영양 최강의 만남 **두부 고기 샌드 조림**

분량 : 2~3인분
조리시간 : 30분
난이도 : 중급

"일반 두부조림만 하면 너무 식상하죠? 두부 사이에 고기를 넣어 식감과 풍미를 더 살렸어요. 아이들에겐 영양식 햄버거로, 어른들에겐 술안주로. 짭조름하고 달달한 맛이 식욕을 돋운답니다."

| 재료 |
- 부침용 두부 1/2모(150g)
- 양파 1/8개(20g)
- 미나리 5줄기
- 간 돼지고기 50g
- 밀가루 3큰술
- 식용유 3큰술
- 물 2컵
- 소금 1/2작은술

| 고기 양념 |
- 다진 마늘 1/2작은술
- 다진 생강 1/3작은술
- 소금 1꼬집
- 후춧가루 1꼬집
- 깨소금 1/3작은술

| 조림장 |
- 간장 2큰술
- 맛술 1큰술
- 올리고당 1큰술
- 물 1/2컵
- 참기름 1작은술

1. 두부는 사방 4cm, 두께 0.8cm로 썰어 소금을 약간 뿌린다.

   ※Tip※ 두부에 소금을 뿌리면 간도 배고 두부가 단단해져 덜 부서진다.

2. 양파는 곱게 다지고, 미나리는 물 2컵, 소금 1/2작은술을 넣은 끓는 소금물에 20초간 데친다.

3. 볼에 간 돼지고기, 다진 양파와 고기 양념을 넣고 손으로 치댄다.

4. 두부 양면에 밀가루를 묻힌 후 두부 한 면 위에 3의 치댄 고기를 두부 크기에 맞게 떼어 얹고 나머지 두부로 마주보게 덮는다.

5. 달군 팬에 식용유를 두른 후 두부를 앞뒤로 3분씩 노릇하게 지져낸다.

6. 5를 미나리로 감싸듯이 묶어준다.

7. 조림장 재료를 고루 섞어 조림장을 만든 후 냄비에 반을 덜고, 두부를 넣고 조린다. 끓기 시작하면 나머지 양념장을 넣고 골고루 끼얹어 가며 간이 배도록 조린다.

   ※Tip※ 양념장을 반으로 나누어서 반은 위쪽으로 끼얹으며 조려야 두부 윗면까지 간이 골고루 밴다.

4

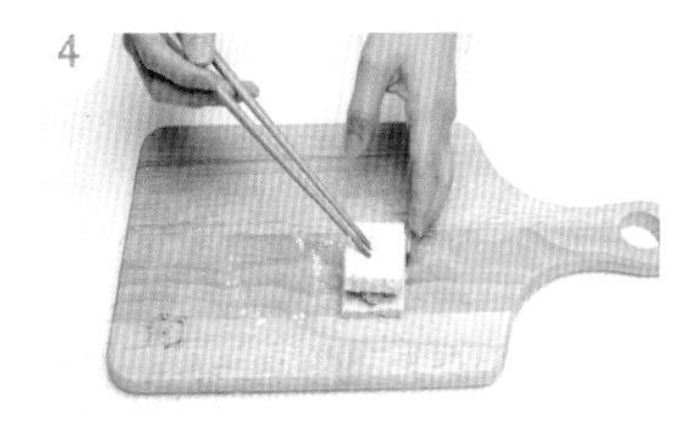

6

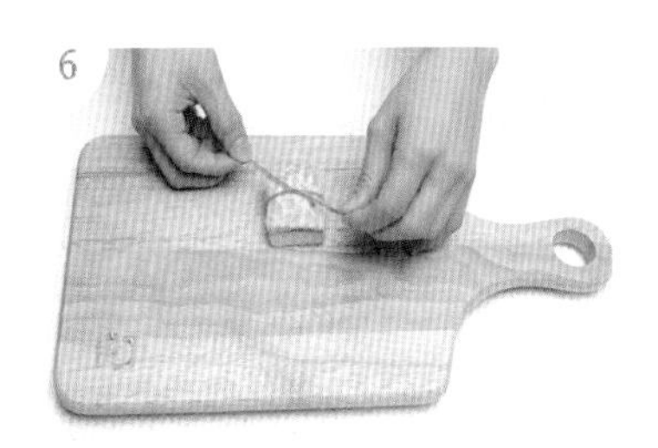

7

NOTE

- 두부 속 재료를 돼지고기 외에 닭고기, 소고기, 새우 살로 대체해도 맛이 좋다.
- 두부를 묶는 미나리도 계절에 따라 부추, 실파로도 대체 가능하다.

맛있게 매콤달콤 두부 강정

- 분량 : 2인분
- 조리시간 : 30분
- 난이도 : 중급

"맛있는 양념에 한 번 놀라고, 바삭한 겉 식감에 두 번 놀라고, 촉촉한 두부 속살에 세 번 놀라는 한입 쏙 두부 강정!"

Ingredients

| 재료 |

- □ 부침용 두부 1/2모(150g)
- □ 소금 1/2작은술
- □ 밀가루 1/2컵
- □ 깨 1작은술
- □ 식용유 1/2컵

| 강정 소스 |

- □ 토마토케첩 3큰술
- □ 물 3큰술
- □ 물엿 3큰술
- □ 고추장 1큰술
- □ 다진 마늘 1큰술
- □ 깨 1작은술
- □ 참기름 1작은술

Directions

1. 두부는 사방 1.5cm 크기의 주사위 모양으로 잘라 소금 1/2작은술을 고루 뿌려 10분간 재운다.

   ※Tip※ 소금을 뿌려두면 삼투압 현상에 의해 두부가 단단해진다.

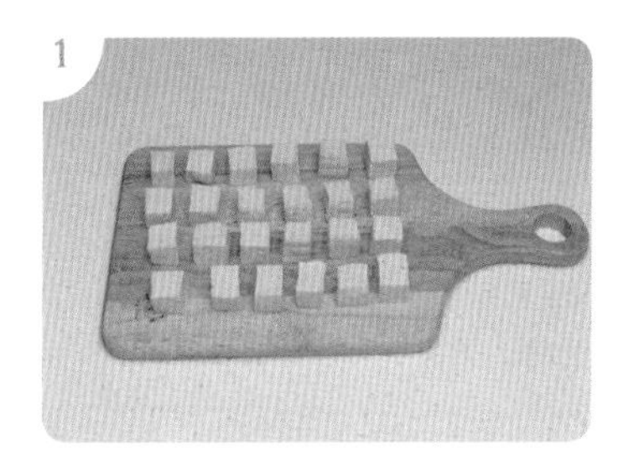

2. 면보나 키친타월로 두부의 수분을 완전히 없앤 후 겉면에 밀가루를 고루 입힌다.

3. 팬에 식용유를 넣고 불을 올려 밀가루 입힌 두부를 중불로 노릇하게 튀긴다.

   ※Tip※ 두부에 밀가루를 입히면 두부를 튀길 때 기름이 튀지 않고 강정소스가 풍부하게 묻어 진한 맛을 느낄 수 있다.

4. 팬에 강정소스를 넣고 끓으면 튀긴 두부를 넣어 버무린다.

소리까지 맛있는
두부된장 고추무침

분량 : 2인분
조리시간 : 15분
난이도 : 하급

"아삭한 고추의 식감과 구수한 된장이 잘 어우러진 밑반찬인데요. 입맛 없을 때 밑반찬으로 먹으면 입맛이 살아나는 요리죠. 풋고추 대신 맵지 않은 아삭이 고추로 하면 아삭한 식감이 더 살아나요."

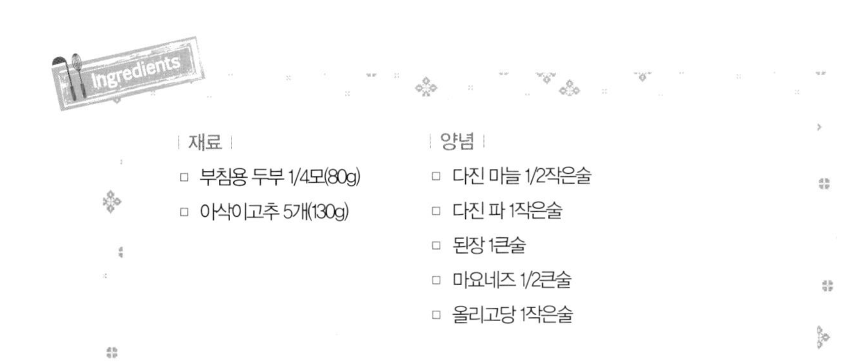

| 재료 |
- 부침용 두부 1/4모(80g)
- 아삭이고추 5개(130g)

| 양념 |
- 다진 마늘 1/2작은술
- 다진 파 1작은술
- 된장 1큰술
- 마요네즈 1/2큰술
- 올리고당 1작은술

1. 두부는 면보로 물기를 제거한 후 볼에 으깬다.

   ※Tip※ 두부의 물기를 충분히 제거해야 양념이 겉돌지 않고 잘 스며든다.

2. 아삭이고추는 한입 크기로 썰어준다.

3. 볼에 으깬 두부와 양념을 넣고 잘 섞어준다.

   ※Tip※ 양념에 마요네즈를 섞어주면 된장의 거친 짠맛을 중화시켜 주고 고소함과 부드러움을 더해줄 수 있다.

4. 3에 고추를 넣고 버무려낸다.

2

3

4

고기보다 더 맛있는 두부 된장 쌈장

- 분량 : 3인분
- 조리시간 : 15분
- 난이도 : 하급

"밥에 쓱쓱 비벼만 주어도 군침도는 쌈장이 있습니다. 지나치게 짜지 않아 넉넉히 넣고 비벼도 부담스럽지 않은데요. 두부와 된장의 환상궁합 두부 된장 쌈장입니다."

Ingredients

| 재료 |

- 두부 1/3모(100g)
- 청고추 1/3개
- 홍고추 1/3개

| 쌈장 양념 |

- 된장 3큰술
- 설탕 1큰술
- 꿀 1큰술
- 들깨가루 1큰술
- 고추장 1작은술
- 다진 마늘 1작은술

Directions

1. 두부는 칼배(칼등과 칼날 사이의 부분을 이른다)를 눕혀 으깬다.

2. 팬에 두부를 넣고 구운 색이 나도록 2분간 중불로 충분히 볶는다.

   ※Tip※ 충분히 볶아 수분을 없애야 두부 된장 쌈장이 쉽게 상하지 않는다.

3. 쌈장 양념 재료를 볶은 두부에 넣고 1분 정도 더 볶는다.

   ※Tip※ 쌈장이 식으면 농도가 되직해지므로 원하는 농도보다는 약간 묽게 만든다.

4. 완성 그릇에 담아 고추를 송송 썰어 올린다.

1

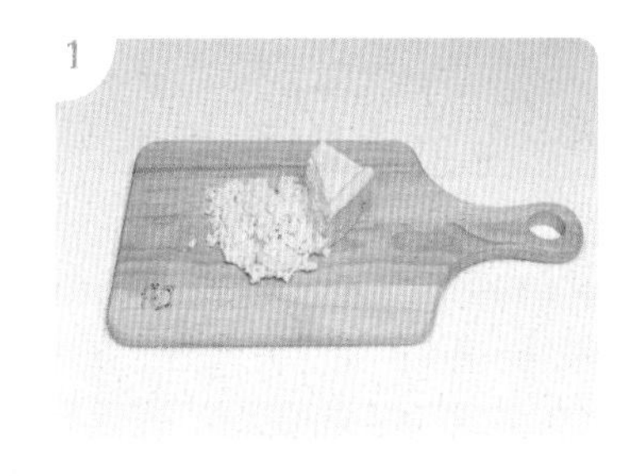

2

3

부드럽고 매콤한 맛 두부김치 두루치기

- 분량 : 2인분
- 조리시간 : 20분
- 난이도 : 중급

"술안주 하면 매콤한 돼지고기 두루치기가 떠오르곤 하는데요. 두부를 넣어 곁들이면 매운맛도 훨씬 중화시켜주고 돼지고기와 어우러져서 맛도 훨씬 좋답니다."

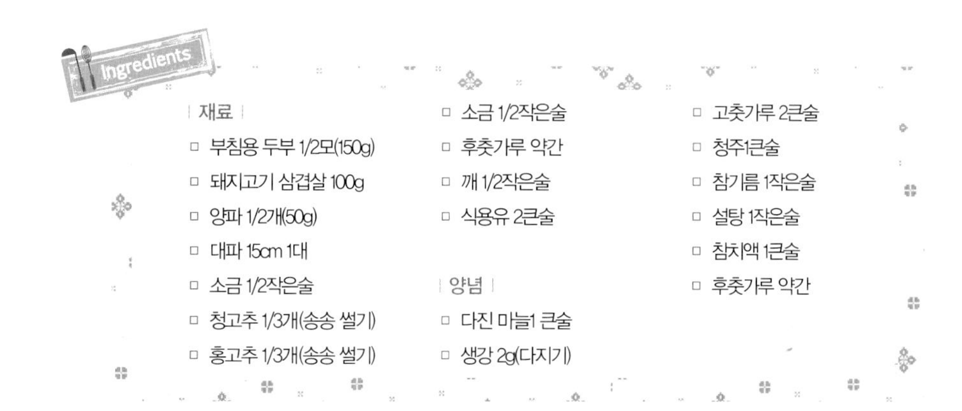

| 재료 |

- 부침용 두부 1/2모(150g)
- 돼지고기 삼겹살 100g
- 양파 1/2개(50g)
- 대파 15cm 1대
- 소금 1/2작은술
- 청고추 1/3개(송송 썰기)
- 홍고추 1/3개(송송 썰기)
- 소금 1/2작은술
- 후춧가루 약간
- 깨 1/2작은술
- 식용유 2큰술

| 양념 |

- 다진 마늘1 큰술
- 생강 2g(다지기)
- 고춧가루 2큰술
- 청주1큰술
- 참기름 1작은술
- 설탕 1작은술
- 참치액 1큰술
- 후춧가루 약간

1. 두부는 가로 3cm, 세로 4cm, 1cm 두께로 썰어 소금, 후춧가루로 밑간한다. 팬에 식용유를 두른 후 밑간한 두부를 앞뒤로 중불에 노릇노릇 하게 지져낸다.

   ※Tip※ 노릇하게 지져내야 식감도 바삭하고 부서지지 않는다.

2. 삼겹살은 3cm 폭으로 썰고, 김치는 비슷한 크기로 썬다. 파는 반 갈라 4cm 길이로 썰고, 양파는 0.2cm 두께로 채썬다.

3. 팬에 삼겹살을 넣고 중불에서 익을 때까지 볶는다.

4. 삼겹살이 익으면 김치, 양파, 대파, 양념을 넣어서 볶는다.

   ※Tip※ 재료가 되직해서 퍽퍽하면 물을 약간 넣고 볶이준다.

5. 그릇 가장자리에 두부를 담아내고 볶아낸 4를 두부 옆에 담아낸 후 깨를 뿌려낸다.

1

2

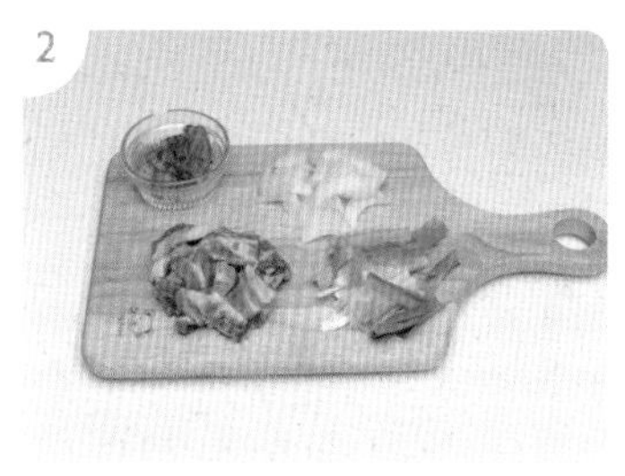

4

그럴듯한 퓨전 요리 불고기 두부 또띠아롤

분량 : 2인분
조리시간 : 20분
난이도 : 중급

"멕시코 밀전병 또띠아에 한국인이 좋아하는 두부와 불고기를 넣어 아이들은 물론이고 나이 드신 어른들 입맛까지도 딱 맞춘 퓨전요리예요."

| 재료 |

- 또띠아(10호) 1장
- 쇠고기(불고기용) 150g
- 부침용 두부 1/6모 (80g)
- 소금 1/4작은술
- 후춧가루 1/5작은술
- 적양파 1/6개
- 청피망 1/4개
- 홍피망 1/4개
- 양배추 1/20통
- 슬라이스 치즈 1장
- 크림치즈 1큰술
- 식용유 1작은술
- 허니머스터드 1큰술

| 불고기 양념 |

- 간장 1큰술
- 설탕 1작은술
- 다진 마늘 1작은술
- 후춧가루 1/5작은술
- 깨 1/3작은술
- 참기름 1작은술
- 전분 1/2작은술

1. 두부는 5×3×1cm로 썰어 소금, 후춧가루로 간을 한 후 식용유를 두른 팬에 노릇하게 지진 다음 세로로 3등분한다. 피망, 양배추, 양파는 채썬다.

2. 불고기에 양념을 고루 섞고 식용유를 두른 팬에 중불로 볶는다.

   ※Tip※ 불고기 양념에 전분을 소량 넣어주면 볶아 놓은 고기가 식어도 촉촉하다.

3. 또띠아를 팬에 살짝 구워 펼친 후 크림치즈를 1/2 정도에 반달형으로 바른다.

   ※Tip※ 크림치즈는 또띠아를 밀착시키는 역할을 하므로 꼼꼼히 발라준다.

4. 또띠아에 슬라이스 치즈, 양파, 피망, 볶은 불고기, 두부, 양배추를 올리고 돌돌 말아 준다.

5. 한입 크기로 썰어 담은 후 허니머스터드를 뿌려 완성한다.

1

2

4

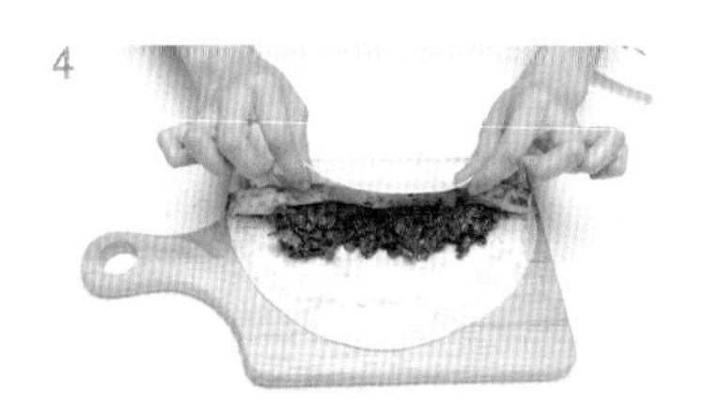

적양파는 보라색이 나는 양파로 색이 진하고 선명하여 샐러드 등에 사용하면 좋고, 셀레늄이 풍부하게 포함되어 각종 암을 예방하고 치료하는 데 효과가 있다.

일본식 전통 두부튀김 요리 **아케다시도후**

분량 : 3인분
조리시간 : 20분
난이도 : 중급

"전분 옷 입힌 파삭한 두부에 달콤 짭짤한 소스를 적셔 먹는 매력만점 요리. 파삭함과 촉촉함을 동시에 즐길 수 있습니다."

재료	소스
□ 부침용 두부 1/2모(150g)	□ 참치액 1큰술
□ 전분 1/2컵	□ 간장 1큰술
□ 간 무 40g	□ 맛술 2큰술
□ 실파 1대(송송 썰기)	□ 설탕 1큰술
□ 김밥 김 1/2장	□ 생수 1/2컵(100ml)
□ 식용유 1/2컵(100ml)	

1. 두부는 3등분한 후 소금을 고루 뿌려 면보로 덮은 후 5분 정도 수분을 뺀다.

2. 전분을 고루 입혀 열이 오른 식용유에 중불로 사방 면을 튀긴다.

3. 소스는 분량대로 섞어 설탕을 완전히 녹인다.

4. 완성 볼에 소스를 깔고 그 위에 두부, 간 무, 송송 썬 실파, 채썬 김을 올려 완성한다.

2

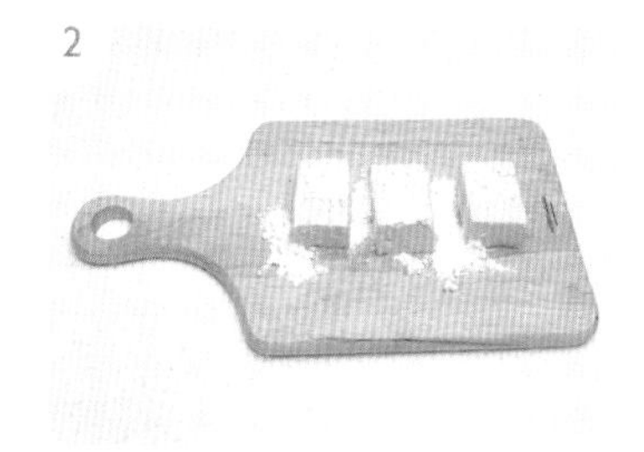

2

3

아케다시도후란 일본식 튀김두부 요리로 달콤 짭조름한 소스에 간 무가 들어가 소화가 잘되고 느끼하지 않다. 반찬이나 술안주로도 인기가 있다.

느끼함을 쏘옥 뺀 두부김치 커틀렛

분량 : 5개
조리시간 : 30분
난이도 : 중급

"커틀렛하면 고기가 생각나죠? 건강한 식재료인 두부로 만들면 어떨까요? 튀겼을 때 기름의 느끼한 맛을 잡아주는 김치를 넣어서 훨씬 가볍고 깔끔한 두부김치 커틀렛입니다."

Ingredients

| 재료 |
- □ 부침용 두부 1/2모(150g)
- □ 김치 100g
- □ 밀가루 1/2컵
- □ 달걀 1개
- □ 빵가루 1컵
- □ 파슬리가루 1큰술
- □ 고추 1개
- □ 홍고추 1개
- □ 소금 1/2작은술
- □ 후춧가루 약간
- □ 참기름 1작은술
- □ 식용유 3컵
- □ 양배추 80g(채 썰기)

| 김치양념 |
- □ 설탕 1작은술
- □ 깨소금 1/3작은술
- □ 들기름 1/2큰술

| 소스 |
- □ 고추장 1/2큰술
- □ 올리고당 1큰술
- □ 물 1/3컵
- □ 식초 1/2큰술
- □ 토마토케첩 1큰술

Directions

1. 두부는 사방 4cm, 0.5cm 두께로 썰어 소금을 뿌려둔다.

2. 김치는 물기를 꼭 짠 후 0.5cm 크기로 송송 썬 후 김치 양념으로 무친다. 예열된 팬에 2분간 볶는다.

   ※Tip※ 김치의 수분이 많이 남아 있으면 튀길 때 기름이 많이 튀고 김치 국물이 새어 나올 수 있으므로 수분을 충분히 제거해야 한다.

3. 두부 양면에 밀가루를 입힌 후 두부 위에 볶은 김치를 얹고 나머지 두부로 맞 덮어서 살짝 눌러준다.

   ※Tip※ 살짝 눌러서 모양을 잡아주면 튀겨냈을 때 모양이 반듯하고 예쁘게 튀겨진다.

4. 달걀물을 풀어준 후 3에 입히고 빵가루, 파슬리 섞은 것을 입혀 살살 눌러준다.

   ※Tip※ 빵가루에 파슬리를 넣어 섞어주면 빛깔도 훨씬 예쁘고 영양에도 좋다.

5. 160℃로 예열시킨 식용유에 노릇하게 튀겨낸다.

6. 고추는 잘게 다지고 냄비에 소스 재료를 넣고 익히다 끓기 시작하면 고추를 넣어 30초간 끓인 후 불을 끈다.

7. 그릇에 두부를 담아낸 후 소스를 뿌리거나 곁들어낸다.

3

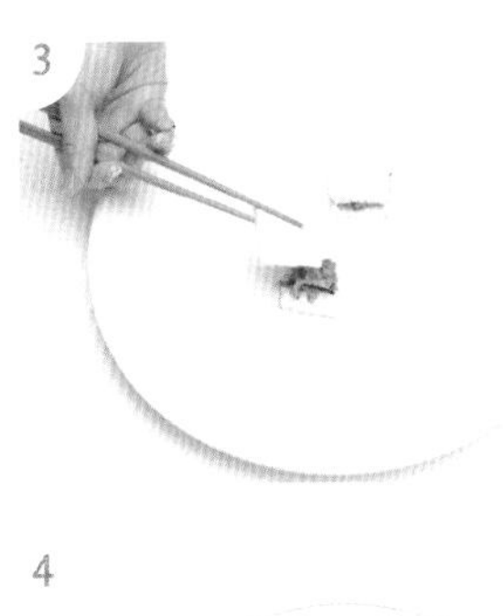

4

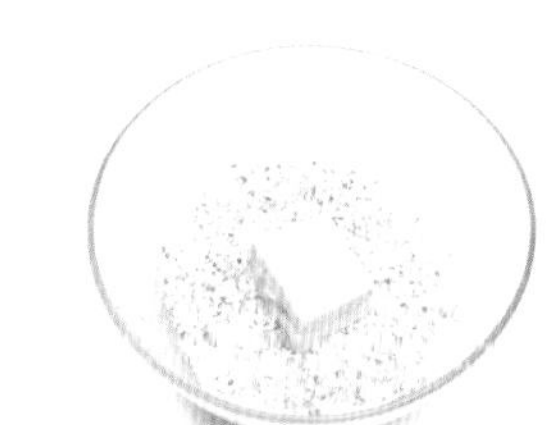

5

그릇까지 먹어 치우자 두부새우 꽃만두

- 분량 : 5개 분량
- 조리시간 : 20분
- 난이도 : 중급

"꽃만두 한 송이 들고 눈으로 즐기고 담백한 맛에 입으로 즐기고 그릇 채 먹어 설거지 줄이는 착한 전채 요리입니다."

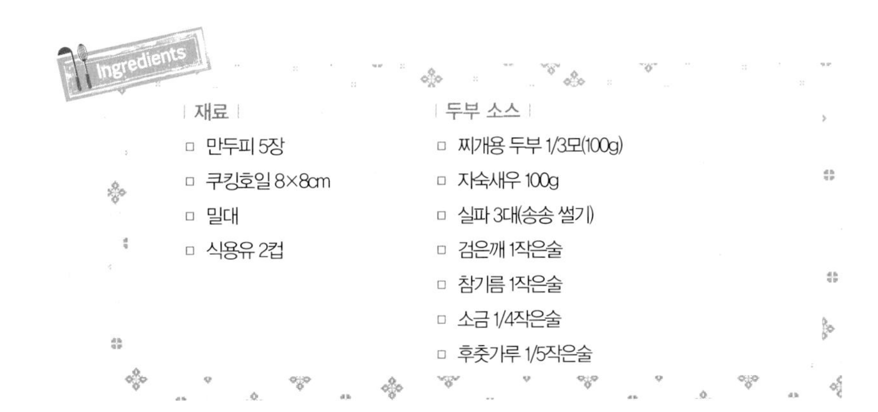

재료

- 만두피 5장
- 쿠킹호일 8×8cm
- 밀대
- 식용유 2컵

두부 소스

- 찌개용 두부 1/3모(100g)
- 자숙새우 100g
- 실파 3대(송송 썰기)
- 검은깨 1작은술
- 참기름 1작은술
- 소금 1/4작은술
- 후춧가루 1/5작은술

1. 쿠킹호일을 밀대 끄트머리에 감싼 후 만두피를 붙인다. 튀김 냄비에 식용유를 넣고, 180℃로 열을 올리고 만두피를 40초 정도 튀긴다.

   ※Tip※ 밀대를 쿠킹호일로 싼 후 만두피를 감싸 튀기면 밀대가 타지 않는다. 대신 쿠킹호일을 붙이지 않은 부분이 기름에 닿지 않게 주의한다.

2. 두부는 면보로 수분을 없앤 후 잘게 으깬다.

3. 자숙새우는 꼬리는 장식용으로 남기고 살은 다진다.

4. 볼에 두부, 새우, 실파, 검은깨, 참기름, 소금, 후춧가루를 넣어 버무린다.

5. 튀긴 만두피 안에 두부 소스를 채운 후 새우 꼬리로 장식한다

1

4

5

격식을 갖추고 싶을땐 두부선

- 분량 : 2~3인분
- 조리시간 : 30분
- 난이도 : 중급

"궁중요리 중에서 두부를 이용한 대표적인 요리예요. 두부와 닭고기를 고루 섞어 양념한 뒤 각종 고명을 얹고 찌죠. 손은 많이 가지만 특별한 손님에게 대접할 때 정성이 느껴지는 요리랍니다."

Ingredients

| 재료 |
- 두부 1/2모(150g)
- 다진 닭가슴살 50g
- 대추 2개
- 불린 표고 1개
- 실고추 2g
- 잣 7알
- 달걀 1개

| 양념 |
- 다진 마늘 1작은술
- 대파 5cm(다지기)
- 참기름 1/2작은술
- 깨소금 1작은술
- 후추가루 1꼬집
- 소금 1꼬집
- 굴소스 1작은술
- 설탕 1작은술

| 초간장 |
- 간장 1큰술
- 식초 1/2큰술

Directions

1. 두부는 면보에 물기를 짜서 으깬다. 닭고기도 곱게 다진다.

2. 불린 표고는 가늘게 채썰고 대추는 돌려깍기 해서 씨를 제거한 후 가늘게 채썬다. 실고추는 2cm 길이로 자른다. 달걀은 황백지단을 부쳐 채썬다.

3. 볼에 두부와 닭고기를 섞어 양념 재료를 넣고 버무려 치댄다.

   ※Tip※ 두부와 닭고기를 섞어 잘 치대야 나중에 부스러지지 않는다.

4. 3을 1cm 두께로 편편하게 정사각형 모양으로 만든다.

5. 4에 채썬 표고, 대추, 실고추, 잣, 황백지단을 골고루 펴서 얹은 후 김 오른 찜통에 면보를 깔고 뚜껑을 덮은 후 10분간 찐다.

6. 다 쪄지면 식혀서 먹기 좋은 한입 크기로 썰어 접시에 담고 초간장을 곁들여 낸다.

   ※Tip※ 두부선이 식었을 때 썰어야 갈라져 부서지지 않는다.

2

4

5

통으로 구웠다 통두부 간장양념구이

분량 : 4인분
조리시간 : 20분
난이도 : 중급

"두부 한 모를 통으로 구워서 더욱 먹음직스러운 요리인데요. 지나치게 짜지 않은 간장 양념 듬뿍 올려 심심한 맛을 깨웠습니다."

Ingredients

| 재료 |

- □ 부침용 두부 1모(350g)
- □ 식용유 1/2큰술
- □ 들기름 1/2큰술
- □ 달걀 1개
- □ 식용유 1작은술

| 간장 양념장 |

- □ 다진 대파 2큰술
- □ 간장 3큰술
- □ 설탕 1큰술
- □ 고춧가루 1큰술
- □ 다진 마늘 1작은술
- □ 참기름 1큰술
- □ 통깨 1큰술

Directions

1. 두부는 면보로 덮어 5분간 수분을 없앤다.

2. 팬에 식용유, 들기름을 섞어 두르고 두부 6면을 노릇하게 굽는다.

   ※Tip※ 식용유와 들기름을 동량으로 두르고 구우면 두부가 더욱 고소하다.

3. 1.5cm 간격으로 2/3 정도 깊숙이 칼집을 넣는다.

   ※Tip※ 칼집을 넣어주면 간장 양념장이 고루 잘 스며든다.

4. 간장 양념장을 분량대로 고루 섞어 준비한다. 달걀은 반숙으로 프라이를 부친다.

5. 완성 접시에 두부를 담고 간장 양념장을 뿌린 후 달걀프라이를 올린다.

2

3

5

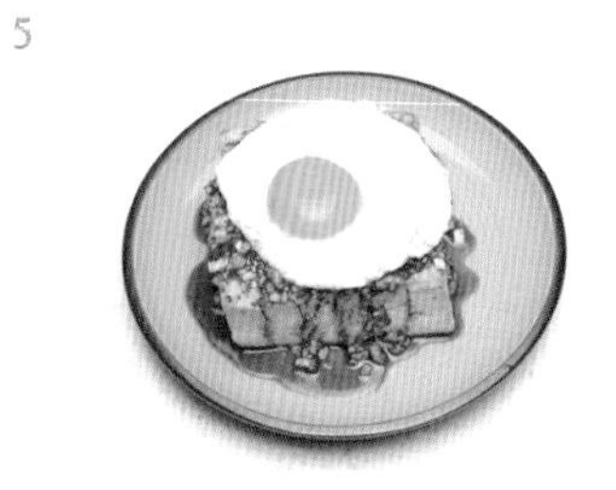

색다른 완자를 즐기고 싶다면 두부 참치 완자

분량 : 5개
조리시간 : 30분
난이도 : 중급

"으깬 두부에 고기 대신 참치를 넣어 부드럽고 담백한 완자를 만들었어요. 모양도 예뻐 아이들이 좋아하고 한입 한입 가볍게 먹을 수 있어 칼로리 부담도 적어요."

Ingredients

| 재료 |

- 부침용 두부 1/2모(150g)
- 캔 참치 1개(150g)
- 양파 1/4개
- 청피망 1/4개
- 홍피망 1/4개
- 슬라이스 치즈 2장
- 식용유 5큰술

| 소스 |

- 토마토케첩 1큰술
- 마요네즈 3큰술
- 레몬즙 1작은술

| 완자양념 |

- 다진 마늘 1작은술
- 소금 1/2작은술
- 후춧가루 1/3작은술
- 굴소스 1/2작은술
- 달걀노른자 1개
- 깨소금 1/2작은술
- 참기름 1작은술
- 부침가루 2큰술

Directions

1. 두부는 면보로 물기를 제거 후 으깬다.

2. 참치는 체에 밭쳐 기름을 뺀다.

3. 양파, 청홍피망은 곱게 다진다. 다진 채소는 물기를 제거한다. 치즈는 가늘게 채썬다.

4. 팬에 식용유를 두르고 양파는 1분간, 청홍피망은 30초간 중불에서 볶는다.

   ※Tip※ 채소를 볶아 완자에 넣어주면 물이 생기지 않아 모양이 흐트러지지 않고 완자에서 채소 특유의 풋내가 나지 않아 맛이 좋아진다.

5. 볼에 완자 재료를 모두 넣고 양념한 뒤 골고루 섞어 치대준 후 한입 크기로 빚는다.

   ※Tip※ 섞어줄 때 손으로 여러 번 치대 주어야 나중에 지질 때 완자가 갈라지거나 부서지지 않는다.

6. 팬에 식용유를 두른 후 두부 완자를 앞뒤로 노릇하게 구워준다. 구워진 완자 위에 슬라이스 치즈를 격자 무늬(#) 모양으로 얹어주고 치즈가 살짝 녹아 들도록 뚜껑을 덮고 10초간 익힌다.

3

5

6

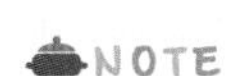

NOTE

두부 완자 부재료로 참치 대신 취향에 따라 새우 살이나 닭고기를 응용해서 만들 수도 있다.

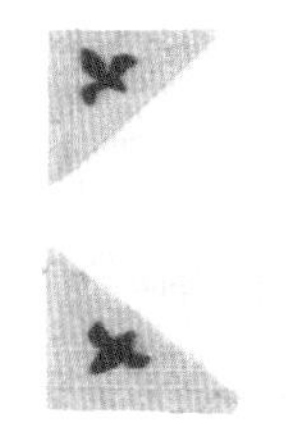

온 가족의 영양 간식 두부 스낵

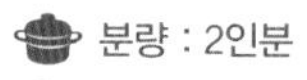

분량 : 2인분
조리시간 : 50분
난이도 : 중급

"요즘엔 과자를 만드는 집은 많이 드물죠? 간편하게 건강하게 만들 수 있는 두부스낵이에요. 검은깨가 들어가 더 고소한 맛이 살아 있어 어른들 술안주는 물론 아이들의 영양 간식으로도 참 좋답니다."

| 재료 |

- □ 두부 1/8모(40g)
- □ 밀가루(중력분) 100g
- □ 설탕 35g
- □ 달걀 20g
- □ 소금 2g
- □ 검은깨 8g
- □ 생강즙 1/3작은술
- □ 식용유 2컵

1. 두부는 체에 내린 후 달걀을 넣어 골고루 섞어준다.

   ※Tip※ 두부는 체에 내려야 곱게 으깨져, 밀가루와 섞였을 때 겉돌지 않는다.

2. 설탕, 소금, 생강즙, 검은깨를 볼에 넣고 혼합한다.

3. 밀가루를 체에 친 후 2에 넣고 날밀가루가 없도록 한 덩어리가 되도록 섞어준다. 20분간 휴지시킨다(여름에는 냉장고에서 휴지한다.).

   ※Tip※ 반죽을 휴지해 숙성시켜야 반죽이 갈라지지 않고 잘 뭉쳐진다.

4. 0.2cm~0.3cm두께로 밀어 칼이나 파이 커터기를 사용해 먹기 좋게 마름모꼴(폭이 2cm~3cm인 마름모형)로 자른다. 모양틀로 찍어도 좋다.

5. 160℃로 예열된 기름에 2~3분간 튀긴다.

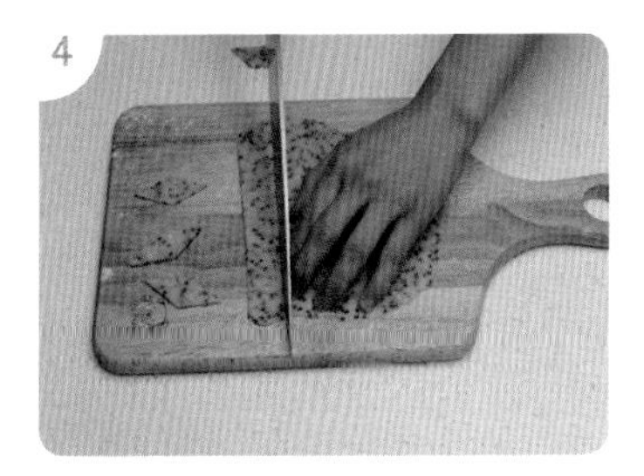

NOTE

반죽을 "휴지한다"는 말은 반죽에 쉬는 시간을 주는 것으로 이 과정으로 인해서 반죽 모양이 더 잘 잡히고 좋아지게 하는 과정이다. 반죽이 무를 때 냉장고에서 휴지시키면 약간 단단해져 모양내기가 훨씬 수월해진다.

속 깊은 두부 바게트 터널 샌드위치

- 분량 : 2인분
- 조리시간 : 20분
- 난이도 : 하급

"바게트 속을 비우고 대신 두부 샐러드를 가득 채운 피크닉 샌드위치입니다. 예쁘게 포장해, 소풍 가고 싶어지는 요리예요."

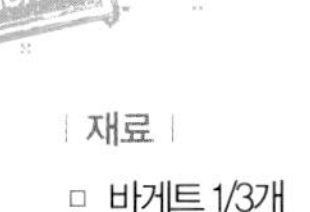

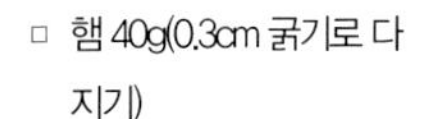

| 재료 |

- □ 바게트 1/3개
- □ 마요네즈 1큰술

| 두부샐러드 |

- □ 찌개용 두부 1/3모(100g)
- □ 달걀 1개(삶기)
- □ 햄 40g(0.3cm 굵기로 다지기)
- □ 양파 1/4개(소금 1/3작은술, 물 1큰술)
- □ 오이 1/3개(소금 1/3작은술, 물 1큰술)
- □ 당근 1/6개(소금 1/3작은술, 물 1큰술)
- □ 마요네즈 2큰술
- □ 설탕 1작은술
- □ 소금 1/3작은술
- □ 후춧가루 1/5작은술

Directions

1. 바게트는 표면의 1cm 두께를 남기고 안쪽 빵을 파낸다. 파낸 빵은 잘게 찢는다.

2. 면보로 두부의 수분을 제거한다.

3. 양파, 오이, 당근은 각각 가늘게 채썬 후, 분량의 소금에 물을 넣고 15분간 절인 뒤 물기를 짠다.

4. 볼에 두부와 삶은 달걀을 넣고 포크로 잘게 부순 뒤, 나머지 재료와 바게트 속빵을 넣어 섞는다.

   ※Tip※ 바게트 속빵이 두부의 수분을 잡아 준다.

5. 바게트 안쪽 면에 숟가락으로 마요네즈를 바르고 버무린 두부샐러드를 채운다.

6. 먹기 좋게 잘라 완성한다.

1

4

5

이탈리아식 오븐 오믈렛 두부 프리타타

분량 : 3인분
조리시간 : 30분
난이도 : 중급

"보기 좋은 브런치 요리, 레스토랑에서만 먹으란 법 있나요? 두부와 달걀이면 집에서도 럭셔리하게 즐길 수 있습니다."

재료		달걀소스
□ 부침용 두부 1/3모(100g)	□ 파슬리가루 1작은술	□ 무가당 두유 4큰술
□ 양파 1/4개	□ 올리브유 1작은술	□ 소금 1/2작은술
□ 프랑크 소시지 80g	□ 토마토케첩 1큰술	□ 후춧가루 1/5작은술
□ 당근 30g	□ 달걀 4개	
□ 캔 옥수수 30g		
□ 치즈 1장		

1. 달걀을 분량대로 고루 풀어 준비한다.
2. 두부는 면보로 수분을 제거하고 으깬다.
3. 양파와 당근은 3cm 길이로 썰고, 프랑크 소시지는 0.3cm 두께로 동그랗게 썬다.
4. 양파, 프랑크 소시지, 당근은 올리브유를 두른 팬에 볶는다.
5. 달걀과 달걀소스 재료를 섞는다.
6. 오븐 팬에 올리브유를 고루 바르고 손질한 재료와 섞은 달걀소스를 부은 후 파슬리가루를 뿌린다.

   ※Tip※ 팬에 올리브유를 발라야 완성된 후 오븐 팬에서 잘 분리됩니다.

7. 180℃로 예열된 오븐에 20분간 익힌다.
8. 오븐 틀에서 분리하여 먹기 좋게 자른 후 토마토케첩을 뿌린다.

3

6

6

NOTE

프리타타는 이탈리아의 오믈렛으로 여러 채소와 버섯, 고기가 들어 있는 영양식이다.

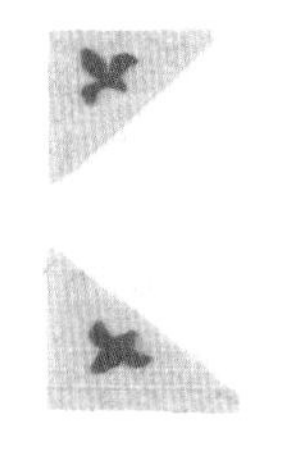

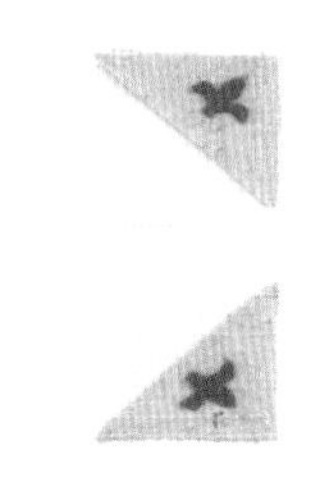

별미 건강 간식 두부 맛탕

- 분량 : 2인분
- 조리시간 : 30분
- 난이도 : 중급

"첫 맛은 달콤 바삭하고 그 다음엔 부드러움을 느낄 수 있는 두부 맛탕!
고구마 맛탕과는 또 다른 색다른 맛을 느껴보세요!"

| 재료 |

- □ 두부 1/2모(150g)
- □ 소금 1/5작은술
- □ 녹말가루 1/3컵
- □ 식용유 1½컵
- □ 검은깨 1/3작은술

| 시럽 |

- □ 황설탕 1/3컵
- □ 식용유 1큰술
- □ 물엿 1큰술

1. 두부는 사방 2cm로 깍둑 썰어 소금으로 밑간한다. 5분 후 면보로 물기를 제거한다.

   ※Tip※ 소금을 뿌려 놓으면 간도 배고 수분이 증발되어 튀길 때 기름이 튀지 않는다.

2. 두부에 녹말가루를 묻혀 170℃로 예열된 식용유에 바삭하게 튀겨낸다.

   ※Tip※ 녹말가루를 묻혀 튀기면 훨씬 바삭하다.

3. 팬에 식용유와 황설탕을 넣고 약한 불에 녹여 시럽을 만든다. 젓지 않고 그대로 녹여 설탕이 녹으면 물엿을 넣어 섞은 후 튀긴 두부를 시럽에 넣고 골고루 버무린다.

   ※Tip※ 시럽을 젓지 말고 그대로 녹여야 응고되지 않는다.

4. 접시에 담고 검은깨를 뿌려낸다.

1

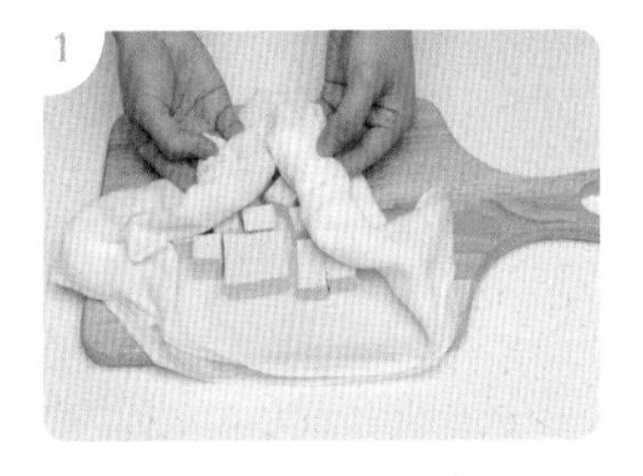

2

3

피부노화를 늦춰주는 두부 브로컬리 무침

분량 : 2인분
조리시간 : 15분
난이도 : 하급

"브로콜리는 피부노화를 늦춰주고 눈에도 좋은 비타민 A가 풍부하다죠? 더군다나 두부와는 영양뿐 아니라 음식궁합도 잘 맞는 매력적인 재료예요. 맛도 담백해 부담없이 즐기는 건강 메뉴랍니다."

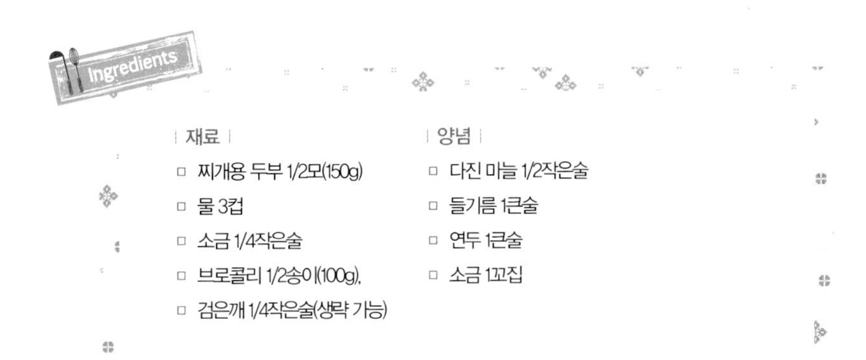

| 재료 |

- 찌개용 두부 1/2모(150g)
- 물 3컵
- 소금 1/4작은술
- 브로콜리 1/2송이(100g),
- 검은깨 1/4작은술(생략 가능)

| 양념 |

- 다진 마늘 1/2작은술
- 들기름 1큰술
- 연두 1큰술
- 소금 1꼬집

1. 냄비에 물 3컵, 소금 1/4작은술을 넣고 끓인다. 물이 팔팔 끓으면 1분간 데친 후 건져 식힌다.

2. 브로콜리는 깨끗이 손질한 후 1.5cm 크기로 썰어서 **1**의 두부 데친 물에 1분간 데쳐 건진다. 찬물에 헹군 후 체에 받쳐 물기를 뺀다.

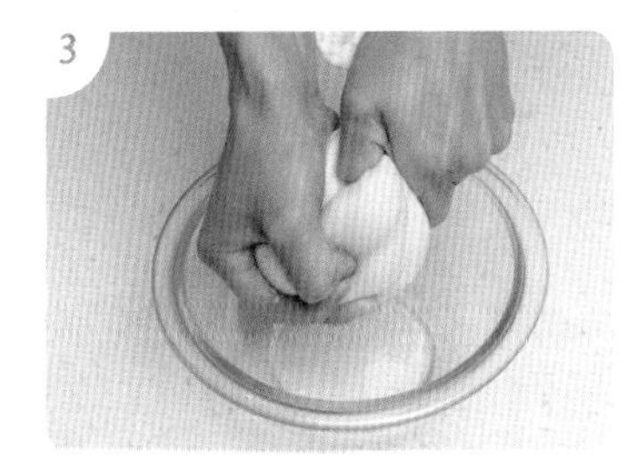

3. **1**의 데친 두부는 면보로 꼭 짜서 물기를 제거한 후 칼배로 눌러 으깬다.

   ※Tip※ 두부와 브로콜리 수분이 완전히 제거되어야 무칠 때 양념이 겉돌지 않고 잘 밴다.

4. 볼에 브로컬리와 두부를 넣고 잘 섞어준 후 양념, 검은깨를 넣어 함께 버무린다

새우를 품은 두부 새우 완자 두부튀김

- 분량 : 3인분
- 조리시간 : 30분
- 난이도 : 상급

"중국 광동요리 중 하나인 동강두부란 요리인데요. 광동요리의 특징은 맛이 진하고 짭짤한 것이죠. 진한 맛은 그대로 살리고, 짠맛과 색은 좀 줄여서 우리 입맛에 딱 맞는 요리로 변형시켰어요."

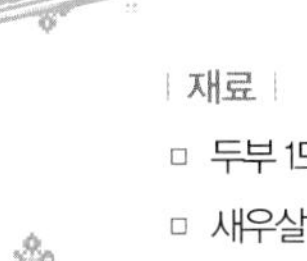
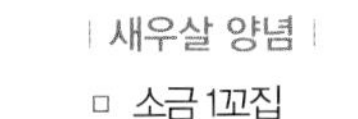

| 재료 |
- 두부 1모(300g)
- 새우살 150g(다지기)
- 청경채 50g
- 소금 2꼬집
- 식용유 2컵

| 새우살 양념 |
- 소금 1꼬집
- 흰 후춧가루 약간
- 생강 2g(다지기)
- 달걀흰자 1큰술
- 녹말 1큰술
- 설탕 1/2작은술

| 소스 양념 |
- 생강 1g(다지기)
- 대파 3cm 1대(다지기)
- 청주 1큰술
- 굴소스 1큰술
- 간장 1/2큰술
- 닭육수 1컵
- 참기름 1작은술
- 녹말물(녹말 1큰술, 물 1큰술)
- 노두유 1작은술(생략가능)

1. 두부는 가장자리 울퉁불퉁한 부분은 다듬고 반으로 썰어 3등분씩 해서 직사각형 모양으로 6쪽을 만든다.

2. 썰어 놓은 두부는 가운데 작은 칼이나 티스푼을 이용해 가운데를 파내고 소금을 약간씩 뿌려준다.

   ※Tip※ 속을 파낼 때는 작은 칼이나 티스푼을 이용해야만 깔끔하게 만들 수 있다.

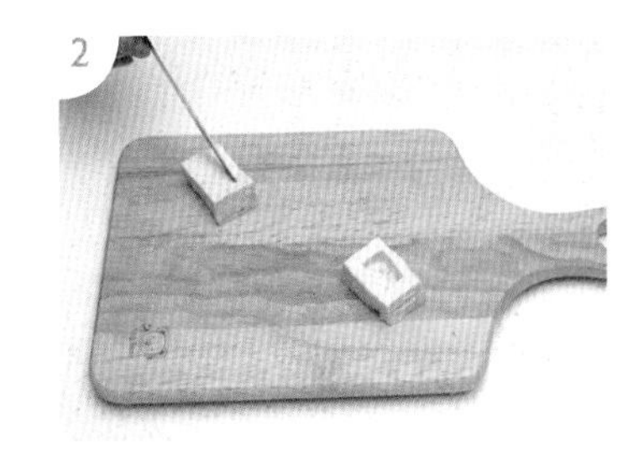

3. 새우살은 으깨서 다진다.

4. 다진 새우살에 양념을 넣고 잘 치대어 부드럽게 만든 뒤 두부 속에 채워 소복하게 담는다. 새우살 겉면에 달걀흰자를 약간 바른다.

   ※Tip※ 달걀을 새우살 표면 위에 발라주면 튀길 때 양념이 빠지지 않고 깔끔하게 튀겨진다.

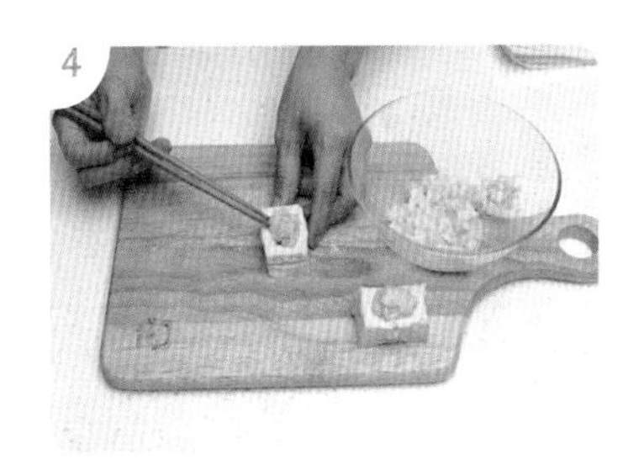

5. 청경채는 뜨거운 소금물에 30초간 데쳐 찬물에 헹군 후 물기 제거해서 기름 두른 팬에 살짝 볶아 접시에 담아놓는다.

6. 팬에 식용유를 넣고 140℃로 예열시킨 다음 **4**를 넣고 두부가 노릇해질 정도로 튀긴 후 **5**의 접시에 담아낸다.

   ※Tip※ 새우까지 잠기게 튀기면 익는 시간이 달라 새우만 탈수 있기 때문에 두부를 먼저 익힌 후 새우를 익혀주는 것이 좋다.

7. 다른 팬에 식용유를 넣고 생강, 대파를 넣고 살짝 볶다가 녹말물, 참기름을 제외한 소스 재료를 넣고 끓인다. 바글바글 끓으면 녹말물을 넣어 걸쭉하게 만든 뒤 참기름을 넣는다.

8. 두부튀김에 만들어낸 소스를 끼얹어낸다.

칼로리는 down, 영양은 up 두부 카프레제

- 분량 : 2인분
- 조리시간 : 20분
- 난이도 :하급

"카프레제는 원래 모짜렐라 치즈를 사용하죠? 치즈 대신 두부를 이용해서 만든 두부 카프레제! 칼로리는 낮고 영양은 최고! 만들기도 간편해 누구나 쉽게 도전해 볼만한 요리랍니다."

| 재료 |

- □ 동그란 두부 1/2모
- □ 방울토마토 200g
- □ 어린잎 채소 20g
- □ 새싹 채소 10g
- □ 소금 1/3작은술
- □ 흰 후춧가루 1/5작은술

| 발사믹 소스 |

- □ 발사믹식초 3큰술
- □ 올리브유 2큰술
- □ 꿀 1큰술
- □ 소금 1/2작은술

1. 방울토마토는 0.5cm 두께로 원형 그대로 썰어 소금 약간을 뿌려 놓는다. 두부도 비슷한 0.5cm 두께로 썬다.

2. 어린잎 채소와 새싹 채소는 찬물에 담가둔다.

   ※Tip※ 채소를 물에 담가두면 아삭한 식감이 더 살아난다.

3. 냄비에 발사믹식초, 올리브유, 꿀, 소금을 넣고 약불에서 2분간 끓인 후 식혀준다.

   ※Tip※ 한 번 끓여 두면 소스가 겉돌지 않고 농도가 생긴다.

4. 완성 접시에 두부, 토마토를 차례대로 번갈아 뉘어서 담은 다음 2를 면보로 물기를 제거한 후 가장 자리에 담고 발사믹 소스와 곁들어낸다.

   ※Tip※ 소스는 먹기 직전 뿌리고 채소는 반드시 물기를 제거해야 간이 잘 배 싱겁지 않다.

1

3

NOTE

발사믹식초란 포도를 발효시켜 만든 과실 식초로 와인처럼 숙성 기간이 길면 길수록 맛과 향이 깊어지고 그에 비해 가격도 비싸진다. 달콤하면서도 산뜻한 풍미로 음식의 감칠맛을 더해주는 것이 특징이다. 보통 샐러드나 식전 빵에 곁들어 먹는다. 요즘은 대형마트에서 중저가로 발사믹식초를 쉽게 구할 수 있다.

착하고 시원한 맛에 감동하는 두부 젓국찌개

분량 : 2인분
조리시간 : 20분
난이도 : 하급

"착하고 온순한 친구는 옆에 있는 것만으로도 마음이 편합니다. 음식도 강한 양념 없이 순한 맛으로 속을 편하게 하는 것이 있어요. 지금 소개하는 두부 젓국찌개가 그렇죠."

| 재료 |

- 찌개용 두부 1/3모 (100g)
- 굴 100g
- 대파 1/3대
- 청고추 1/2개
- 홍고추 1/2개
- 다진 마늘 1큰술
- 물 3컵
- 소금 1작은술
- 새우젓 1작은술
- 참기름 1작은술

| 소금물 |

- 소금 1/2작은술
- 물 1½컵

1. 두부는 가로, 세로, 두께를 3×2×0.5cm 크기로 썰어 찬물에 헹군다.

   ※Tip※ 썬 두부는 헹궈야 국물이 맑다.

2. 대파는 어슷 썰고 청홍고추는 3cm 길이로 채썬다.

3. 굴은 물 1½컵 소금 1/2작은술을 넣은 소금물에 흔들어 씻어 불순물을 제거한다.

   ※Tip※ 바닷물 염도의 물에 씻으면 굴이 탱탱하고 살균 효과도 준다.

4. 냄비에 물 3컵, 소금을 넣어 강불로 익히다 끓으면 두부, 굴을 넣고 중불로 불을 줄여 1분간 끓인다.

5. 대파, 청홍고추, 다진 마늘을 넣고, 새우젓은 건더기만 건져 넣는다.

6. 위에 뜨는 거품을 제거하고 10초간 끓이다가 참기름을 넣고 불을 끈다.

2

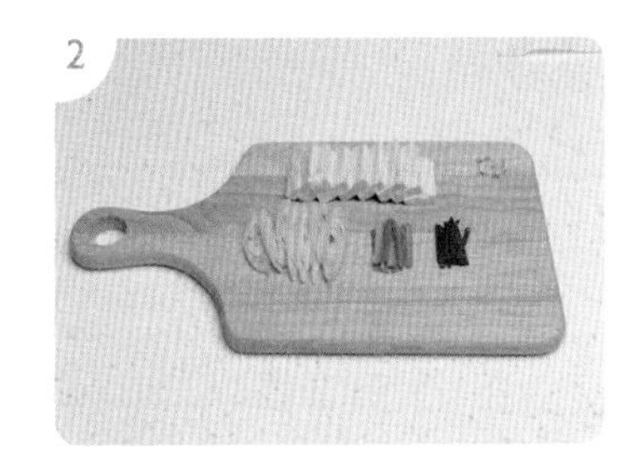

3

NOTE

새우젓에는 새우가 발효하는 동안 새우 껍질에 있는 키틴의 일부가 분해되어 생기는 '키틴 올리고당'이 함유돼 있는데 이는 면역력을 증가시키고 암을 억제하는 것은 물론 암 세포의 전이를 방지하는 효능이 있다고 한다.

5분 안에 뚝딱 끓이는

스피드 두부 달걀탕

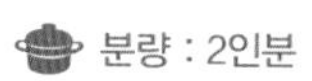

분량 : 2인분

조리시간 : 5분

난이도 : 하급

"정신 없이 바쁜 아침 식사 챙기기 만만치 않죠? 이럴 때 5분 안에 완성되는 고마운 국이 있습니다. 간단하게 빠르게 그리고 맛있게 스피드 두부 달걀탕~"

| 재료 |

- ㅁ 찌개용 두부 1/3모(100g)
- ㅁ 밀가루 1작은술
- ㅁ 달걀 3개
- ㅁ 대파 1/3대
- ㅁ 참치액 1큰술
- ㅁ 소금 1작은술
- ㅁ 설탕 1작은술
- ㅁ 물 4컵
- ㅁ 후춧가루 1/5작은술
- ㅁ 참기름 1작은술

1. 두부는 2cm의 주사위 모양으로 썰어 밀가루를 고루 입힌다.

   ※Tip※ 두부에 밀가루를 입히면 달걀이 잘 밀착된다.

2. 볼에 달걀을 고루 풀고, 밀가루 입힌 두부를 넣어 섞는다.

3. 냄비에 물, 참치액, 소금, 설탕을 넣어 강불로 끓으면 두부 넣은 달걀을 붓는다.

   ※Tip※ 탕 국물에 설탕을 약간 넣으면 달걀의 날 비린내가 덜하다.

4. 바로 불을 끄고 대파, 참기름을 넣고 뚜껑을 닫아 1분간 뜸을 들인다.

   ※Tip※ 달걀 넣고 바로 불을 꺼야 달걀이 부드럽다.

Part

4

순두부& 연두부

CONTENTS

칼칼한 국물에 투박한 수제비가

순두부 얼큰 수제비

- 분량 : 1인분
- 조리시간 : 25분
- 난이도 : 중급

"찰진 밀가루 반죽을 투박하게 떼어 넣은 모양새가 반듯하지 않지만 왠지 친근해 보이는 메뉴 입니다. 한 그릇 먹고 나면 얼굴에 땀이 송글송글 맺히는 순두부 얼큰 수제비 ~"

| 재료 |

- 순두부 1/2봉(150g)
- 바지락 100g
- 김치 100g
- 양파 1/5개(채썰기)
- 대파 1/3줄기(어슷썰기)
- 청고추 1/3개(어슷썰기)
- 홍고추 1/3개(어슷썰기)
- 고추기름 2큰술
- 고춧가루 1큰술
- 참치액 1큰술
- 다진 마늘 1작은술
- 바지락육수 2½컵

| 수제비 반죽 |

- 밀가루 1컵
- 물 5큰술
- 소금 1/3작은술
- 식용유 1/3작은술

| 순두부 밑간 |

- 소금 1/3작은술
- 후춧가루 1/5작은술

1. 바지락은 찬물 2컵, 소금 1작은술을 넣은 물에 담가 검은 비닐로 덮어 해감한 후 껍질을 부벼 씻는다.

2. 찬물 3컵과 바지락을 냄비에 넣고 끓여 조개의 입이 벌어지면 5분 정도 더 끓인다.

3. 바지락 육수를 맑게 거른다.

※Tip※ 바지락은 오래 끓이면 살이 질겨지므로 입이 벌어지면 불을 끈다.

※Tip※ 체에 면보를 올려 육수를 맑게 거르고 바지락은 별도로 보관한다.

4. 밀가루와 소금, 물, 식용유를 분량대로 섞어 치댄 후 냉장고에 30분 정도 숙성한다.

※Tip※ 반죽에 식용유를 약간 넣으면 손에 들러붙지 않아 반죽하기 편하다.

5. 냄비에 고추기름, 김치, 양파, 고춧가루, 참치액, 다진 마늘을 넣어 볶는다.

6. 육수를 넣고 끓으면 수제비 반죽을 떼어 넣는다.

※Tip※ 수제비를 떼어낼 때 손에 물을 묻혀가며 떼어내면 반죽이 얇게 떼어진다.

7. 수제비가 떠오르면 순두부, 바지락, 청고추, 홍고추, 대파를 넣고 끓으면 마무리한다.

3

6

7

군더더기 없이 깔끔한~ 순두부 굴 찌개

- 분량 : 2인분
- 조리시간 : 20분
- 난이도 : 하급

"평소에 접했던 양념 맛이 진한 기존 순두부찌개와는 달리 부드러운 순두부 고유의 맛을 그대로 살리면서 굴을 넣어 시원하고, 청양고추를 넣어 깔끔하고 칼칼한 맛이 나는 색다른 찌개랍니다."

| 재료 |

- □ 순두부 1/2봉(120g)
- □ 굴 1/2봉(100g)
- □ 미나리 30g
- □ 청양고추 1/2개
- □ 홍고추 1/2개
- □ 대파 5cm 1대
- □ 다시물 3컵

| 국물 양념 |

- □ 참치액 1큰술
- □ 다진 마늘 1작은술
- □ 소금 1/3작은술

1. 다시물을 냄비에 넣고 불에 올린다.

   ※Tip※ 굴 고유의 깔끔한 맛을 살리려면 담백한 다시마 육수를 활용하는 것이 좋다.

2. 청양고추, 홍고추는 0.3cm 두께로 어슷썰기한다. 대파도 같은 크기로 어슷썰기한다. 미나리는 4cm 길이로 썬다.

3. 국물이 끓으면 순두부, 굴을 넣고 국물 양념을 넣고 1분간 끓인다.

   ※Tip※ 굴은 너무 오래 끓이면 질겨지고 향을 제대로 살릴 수 없으므로 살짝만 끓인다.

4. 끓으면 청양고추, 홍고추, 대파를 넣은 후 1분간 더 끓인다.

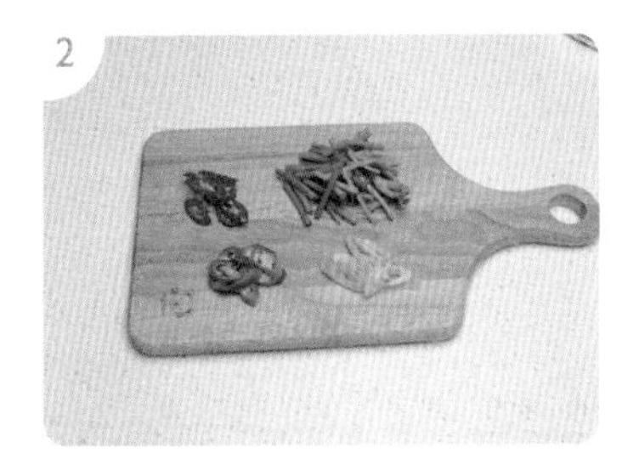
2

3

4

고소한 들깨국물에 몰캉한 순두부

들깨된장 순두부탕

분량 : 2인분
조리시간 : 20분
난이도 : 하급

"쌀쌀한 날에 뜨끈한 찌개와 밥 한 그릇이면 몸은 물론 마음까지도 따뜻하게 녹아드는데요. 들깨 가득 넣어 입안 가득 고소함이 살아 있는 들깨 순두부탕입니다."

| 재료 |

- □ 순두부 1/2봉(150g)
- □ 애느타리버섯 80g
- □ 국물용 멸치 10마리
- □ 물 3컵
- □ 된장 2큰술
- □ 다진 마늘 1작은술
- □ 대파 1/2줄기
- □ 청고추 1/3개
- □ 홍고추 1/3개

| 들깨 국물 |

- □ 들깨가루 1/2컵
- □ 쌀뜨물 1/2컵

1. 내장을 제거한 멸치를 냄비에 넣고 볶다가 물 3컵 넣어 끓기 시작하면 10분간 더 끓이다 국물용 멸치를 걸러낸다.

   ※Tip※ 국물용 멸치는 살짝 볶은 후 국물을 내야 비리지 않고 감칠맛이 진하다.

2. 대파, 청고추, 홍고추는 어슷하게 썬다.

3. 들깨 국물을 분량대로 개어 놓은 후 순두부를 넣어 섞는다.

   ※Tip※ 들깨국물을 쌀뜨물에 미리 개면 더욱 구수하고 엉기지 않는다.

4. 1의 멸치 국물에 된장, 애느타리버섯을 넣어 끓으면 들깨국물과 순두부를 넣는다.

   ※Tip※ 들깨국물은 나중에 넣어야 들깨 향이 오래 남는다.

5. 다진 마늘, 대파, 청고추, 홍고추를 넣어 완성한다.

NOTE

- 쌀뜨물을 사용할 땐 2~3번째 씻은 물을 사용하는 것이 좋다.
- 들깨는 불포화 지방산이 다량 함유되어 있으며 피부와 머리결을 윤택하게 한다.

주말의 맞춤 중식 순두부 누룽지탕

분량 : 3인분
조리시간 : 25분
난이도 : 중급

"중국음식은 항상 밖에서 외식으로 먹거나 배달시켜 먹는다고요? 이제부터 집에서 푸짐하게 만들어 보세요. 엄마표 중식 생각보다 어렵지 않아요."

| 재료 |
- □ 순두부 1봉(320g)
- □ 마늘 1톨
- □ 대파 3g
- □ 불린 표고 2개
- □ 목이버섯 1장
- □ 당근 1/20개
- □ 청고추 1개
- □ 홍고추 1개
- □ 자숙 새우 6마리
- □ 오징어 1/2마리
- □ 찹쌀누룽지 6조각
- □ 식용유 2컵
- □ 참기름 1작은술

| 소스1 |
- □ 굴소스 1큰술
- □ 간장 1큰술
- □ 설탕 2작은술
- □ 물 3컵

| 소스2 |
- □ 녹말가루 4큰술
- □ 물 5큰술

1. 마늘, 대파는 편썬다.

2. 양파, 표고, 목이버섯, 당근은 사방 3cm 정도로 썬다.

3. 오징어는 껍질을 벗겨 안쪽에 0.2cm 간격으로 칼집을 낸 후 3×4cm 길이로 썬다.

4. 새우는 찬물에 흔들어 씻는다.

5. 찹쌀누룽지는 열이 오른 튀김 기름에 2배 가량 커지도록 튀긴다.

   × Tip × 누룽지는 기름 열이 강하게 올라갔을 때 튀겨야 흰색으로 2배 가량 부풀이 오른다.

6. 팬에 식용유를 두르고 마늘, 대파를 볶다가 양파, 표고, 목이, 당근, 오징어, 새우를 볶는다.

7. 소스1을 넣고 강불로 1분간 끓인 후 순두부를 넣어 30초간 끓인다. 소스2를 넣어 농도를 내고 참기름으로 마무리를 한다.

8. 튀긴 누룽지 위에 완성된 국물을 붓는다.

NOTE

중국요리 소스에는 대부분 녹말물이 들어가는데 이때 녹말과 물의 비율이 1:1이 가장 적당하다. 녹말물을 넣어주는 이유를 음식이 빨리 식는 것을 방지해 주고, 식감을 부드럽게 해주며, 양념이 소스에 잘 안착되기 때문이다. 또 음식에 윤기가 돌게 만든다.

규동의 색다른 변화 순두부 소고기 덮밥

분량 : 1인분
조리시간 : 20분
난이도 : 하급

"일본식 덮밥인 규동에 영양과 맛을 업그레이드하였습니다. 순두부, 소고기, 달걀의 환상하모니 순두부 소고기 덮밥입니다."

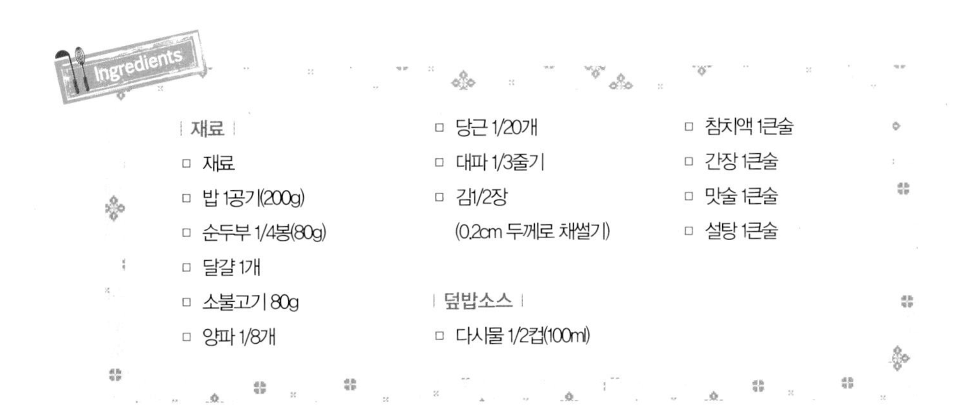

| 재료 |

- 재료
- 밥 1공기(200g)
- 순두부 1/4봉(80g)
- 달걀 1개
- 소불고기 80g
- 양파 1/8개
- 당근 1/20개
- 대파 1/3줄기
- 김1/2장
  (0.2cm 두께로 채썰기)

| 덮밥소스 |

- 다시물 1/2컵(100ml)
- 참치액 1큰술
- 간장 1큰술
- 맛술 1큰술
- 설탕 1큰술

1. 쇠고기는 키친타월로 핏물을 제거한다.

   ※Tip※ 핏물을 없애야 국물이 탁하지 않다.

2. 양파, 당근은 곱게 채썬다. 대파는 어슷 썬다.

3. 달걀은 곱게 풀어 순두부를 섞는다.

4. 냄비에 덮밥소스를 넣어 끓으면 양파, 당근을 넣어 1분간 끓인다.

5. 쇠고기를 넣어 30초간 끓이다 순두부 섞은 달걀물을 넣는다.

6. 밥 위에 끓인 순두부, 쇠고기를 부은 후 대파와 채썬 김을 올린다.

1

3

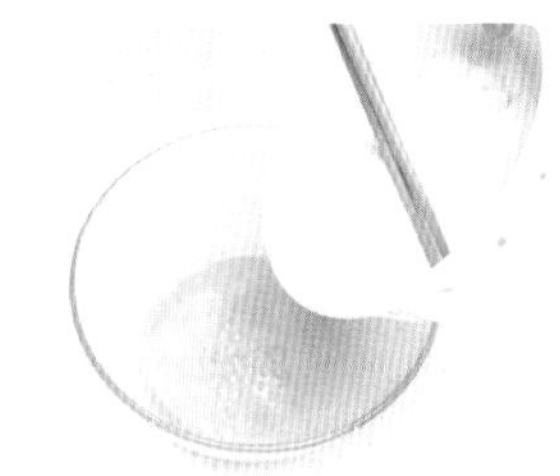

초간단 검은깨 드레싱 연두부 샐러드

분량 : 1인분
조리시간 : 5분
난이도 : 하급

"정신 없이 바쁜 아침 건강을 위해 10분만 잠시 짬을 내 봐요. 만드는 데 5분, 먹는 데 5분 초간단 샐러드입니다."

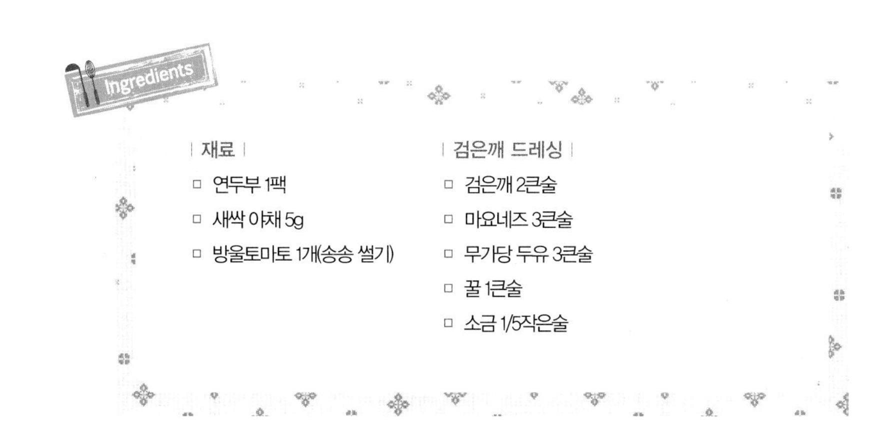

Ingredients

| 재료 |

- 연두부 1팩
- 새싹 야채 5g
- 방울토마토 1개(송송 썰기)

| 검은깨 드레싱 |

- 검은깨 2큰술
- 마요네즈 3큰술
- 무가당 두유 3큰술
- 꿀 1큰술
- 소금 1/5작은술

Directions

1. 연두부는 완성 접시에 팩 채로 뒤집어 팩을 가볍게 두드린다.

   ※Tip※ 팩의 바닥을 가볍게 두드려주면 연두부가 팩에서 깔끔히 분리된다.

2. 검은깨는 팬에 약불로 2분간 볶는다.

   ※Tip※ 팬에 볶으면 수분이 제거되어 검은깨가 더욱 고소하다.

3. 믹서에 검은깨 드레싱 재료를 분량대로 넣어 곱게 갈아낸다.

4. 연두부 위에 드레싱을 뿌리고 방울토마토와 새싹 야채를 얹는다.

1

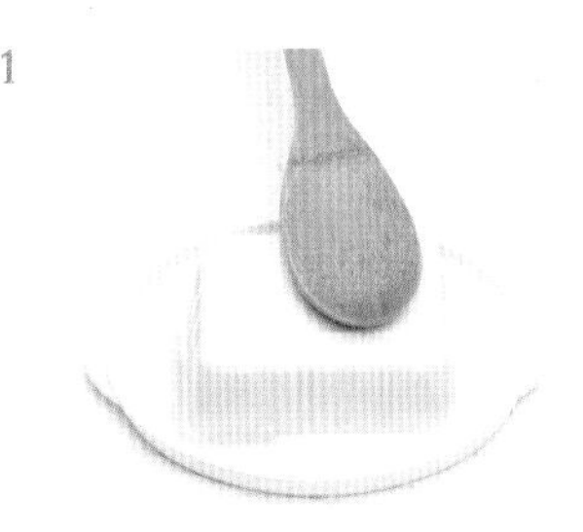

3

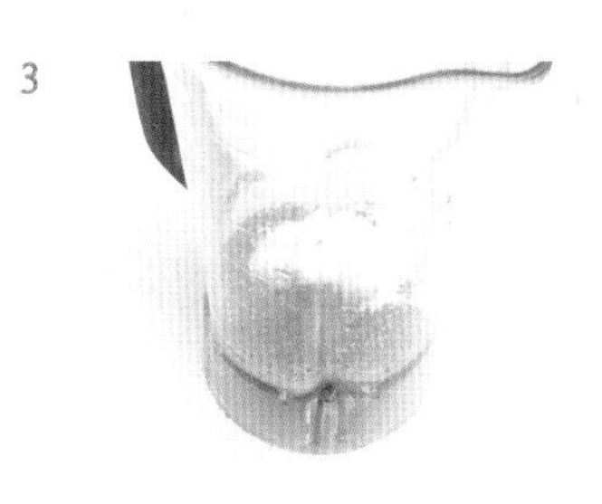

4

순두부를 시원하게 순두부 낫또 냉소바

분량 : 3인분
조리시간 : 20분
난이도 : 중급

"여름철 시원한 냉소바를 먹으면 그야말로 더위가 싹 가시는데요. 여기에 순두부를 넣어 위를 보호하고 속을 든든하게 하는 요리입니다."

Ingredients

| 재료 |

- □ 순두부 1/2봉 (160g)
- □ 생 메밀면 240g
- □ 오이 1/3개
- □ 유부 3장
- □ 간 무 50g
- □ 낫또 30g
- □ 갠 와사비 1큰술

| 소바국물 |

- □ 생수 5컵
- □ 간장 3큰술
- □ 참치액 3큰술
- □ 맛술 6큰술

Directions

1. 순두부는 체에 올려 간수를 뺀다.
2. 메밀면은 끓는 물에 소금을 넣고 2분간 삶아 찬물에 충분히 헹군 후 한 웅큼씩 사리를 틀어 준비한다.
3. 오이, 유부는 가늘게 채썬다.
4. 무는 강판에 갈아 준비한다.
5. 소바 국물은 분량대로 섞어 차게 식힌다.
6. 삶아 놓은 메밀면 위에 오이, 유부, 낫또를 올리고 간 무, 갠 와사비를 곁들인다.
7. 차갑게 식힌 소바 국물에 순두부를 넣어 완성한다.

1

4

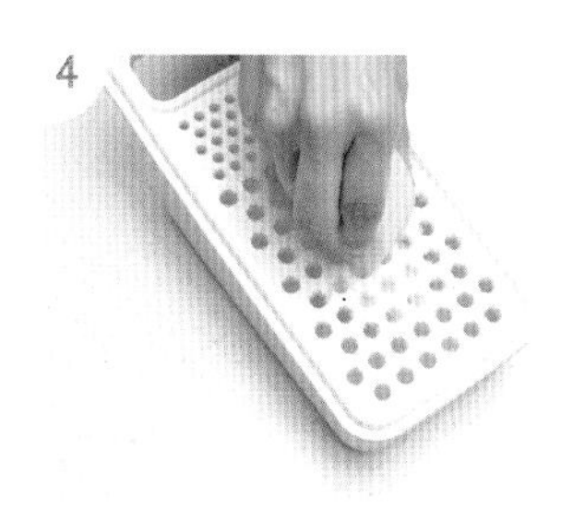

6

NOTE

메밀면 삶는 방법

건면 – 끓는 물에 소금을 약간 넣고 6분간 삶아 찬물에 헹군다.

생면 – 끓는 물에 소금을 약간 넣고 2분간 삶아 찬물에 헹군다.

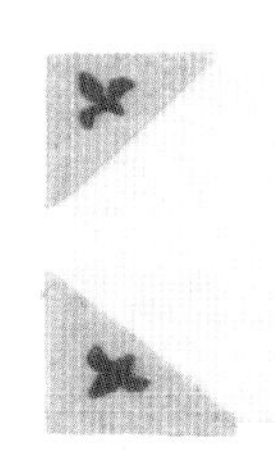

영양도 맛도 연두부 블루베리 쉐이크

- 분량 : 2인분
- 조리시간 : 5분
- 난이도 : 하급

"단백질의 보고인 연두부와 비타민의 보고인 블루베리의 조화가 맛은 물론 비주얼과 영양면에서도 높이 평가할 만한데요. 부드러운 쉐이크로 맛과 영양 함께 챙겨보세요."

| 재료 |

- □ 연두부 1/2팩(150g)
- □ 플레인 요구르트 1통(85g)
- □ 건 블루베리 3큰술
- □ 꿀 1큰술

1. 건 블루베리는 플레인 요구르트에 10분간 불린다.

   ※Tip※ 건 블루베리는 플레인 요구르트에 불려 부드럽게 해야 잘 갈린다.

2. 믹서에 연두부, 플레인 요구르트, 블루베리, 꿀을 넣어 곱게 간다.

1

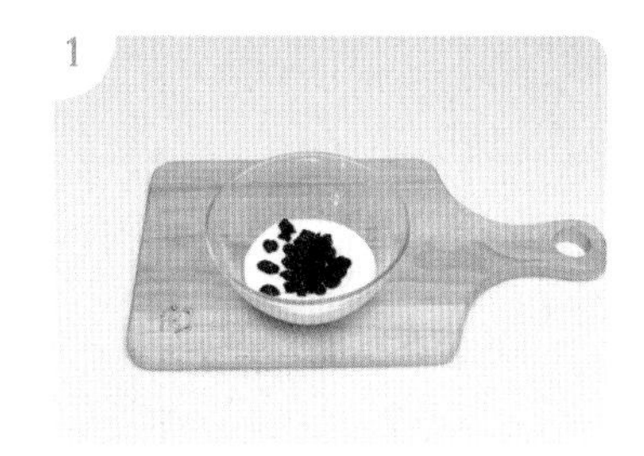

2

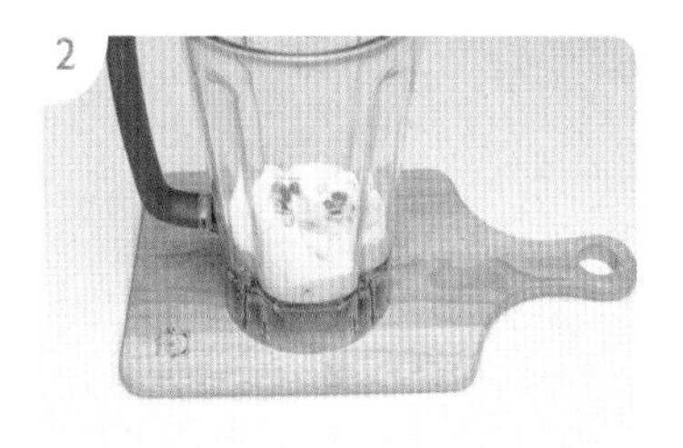

NOTE

블루베리에 포함되어 있는 안토시아닌은 눈의 피로회복에 도움을 주고, 미네랄과 비타민이 풍부하여 피부를 윤택하게 하는 데 탁월한 효과가 있다.

두유&
콩가루&
콩비지&
유부&낫또&
청국장&된장

CONTENTS

블랙 푸드의 대표주자 검은깨 두유 죽

분량 : 2인분
조리시간 : 25분
난이도 : 중급

"흰색 음식보다는 검은색의 블랙푸드가 건강에 좋다는 건 잘 아시죠? 죽은 만드는 사람의 정성과 마음이 느껴지는 음식인거 같아요. 검은깨와 두유가 더해져 맛과 정성이 느껴지는 영양 가득한 죽이랍니다."

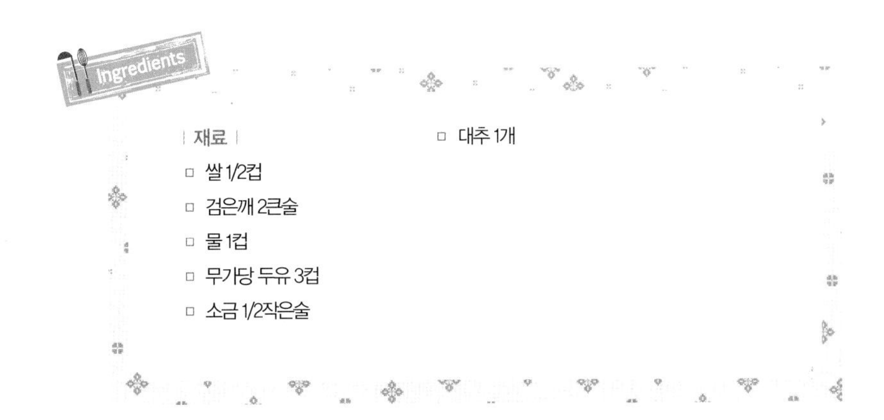

| 재료 |

- □ 쌀 1/2컵
- □ 검은깨 2큰술
- □ 물 1컵
- □ 무가당 두유 3컵
- □ 소금 1/2작은술
- □ 대추 1개

1. 쌀은 씻어 30분 정도 불려준 후 체에 밭쳐 물기를 빼준다.

2. 믹서에 1과 검은깨, 물 1컵을 넣고 곱게 간다.

3. 냄비에 2와 두유를 넣고 강불에서 끓이다 끓기 시작하면 중불에서 서서히 저으면서 끓여준다.

   ※Tip※ 죽을 끓일 때 나무주걱으로 계속 저어 주어야 냄비에 죽이 눌어붙지 않는다.

4. 쌀알이 익어서 말간 색이 나도록 끓여준다.

5. 쌀알이 퍼지고 농도가 걸쭉해지면 소금 간을 한 후 그릇에 담는다.

6. 대추는 돌려깎기 한 후 돌돌 말아 0.2cm 두께로 썰어서 고명으로 얹어준다.

2

3

6

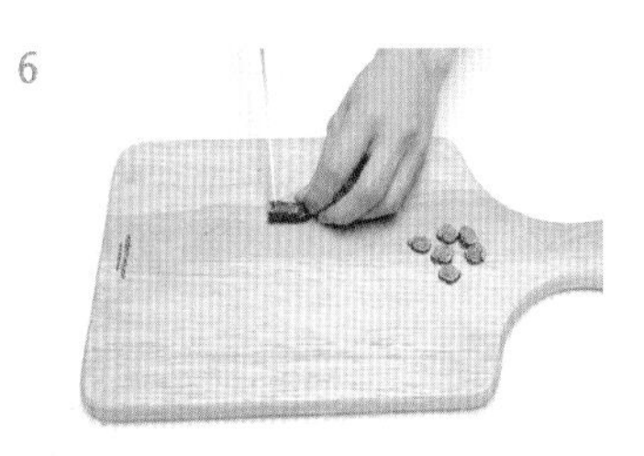

NOTE

예로부터 중국에서는 깨중에서도 검은깨인 흑임자를 불로장수의 식품이라 하여 귀중하게 여겨왔고 선약(仙藥)이라 취급되어 왔다. 우리나라에서도 역시 건강이나 장수를 위한 식품으로 애용되었다.

느끼함은 가라 현미 두유 리조또

분량 : 1인분
조리시간 : 25분
난이도 : 중급

"버터와 생크림 없이도 고소한 리조또를 만들수 있습니다. 열량과 느끼함은 줄이고 고소함과 영양은 한층 높인 현미 두유 리조또 입니다."

| 재료 |

- □ 현미 1/2컵(불린 후 3/4컵)
- □ 올리브유 1큰술
- □ 다진 마늘 1작은술
- □ 양파 1/8개(30g)
- □ 불린 표고 2장
- □ 완두콩 1큰술
- □ 새우 8마리
- □ 무가당 두유 2컵
- □ 소금 1/3작은술
- □ 후춧가루 1/5작은술
- □ 실파 1대(송송 썰기)

1. 현미는 5시간 정도 물에 불린다.

2. 냄비에 올리브유를 두르고 다진 마늘, 불린 현미를 넣고 볶는다.

   ※Tip※ 현미가 투명해질 때까지 충분히 볶아야 쌀 맛이 좋아진다.

3. 2에 양파, 표고, 새우를 넣고 익을 때까지 볶는다.

4. 3에 두유를 넣어 중불로 뭉근히 끓인다.

5. 쌀알이 퍼지고 수분이 거의 없어지면 소금, 후춧가루로 간을 하고 송송 썬 실파와 완두콩을 넣는다.

2

4

5

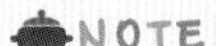

- 요리에 쓰이는 두유는 무가당으로 하여야 맛을 제대로 낼 수가 있다.
- 현미가 익을 때까지 계속 저어주어야 팬 바닥에 두유가 눌어붙지 않는다.

고소하고 달달한 단호박 두유 수프

- 분량 : 2인분
- 조리시간 : 30분
- 난이도 : 중급

"두유와 부드러운 단호박의 맛이 잘 어우러지는 수프예요. 생크림 대신 두유를 넣어 열량은 적고 고소함은 더한 영양식이죠. 다이어트를 하는 분들, 아이들 간식으로 좋아요."

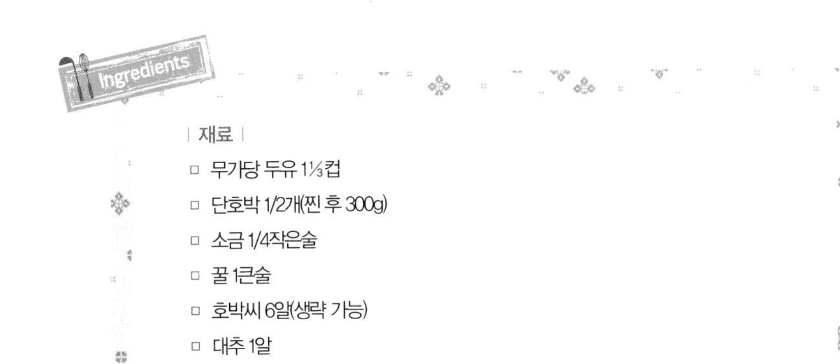

| 재료 |

- □ 무가당 두유 1⅓컵
- □ 단호박 1/2개(찐 후 300g)
- □ 소금 1/4작은술
- □ 꿀 1큰술
- □ 호박씨 6알(생략 가능)
- □ 대추 1알

1. 단호박은 찜통에 10분간 찐 후 껍질을 벗겨낸다.

   ※Tip※ 호박은 단단해서 껍질을 벗기기가 힘들다. 찌고 난 후에는 부드러워져서 껍질 벗기기가 훨씬 수월하다.

2. 두유, 단호박을 믹서에 넣고 곱게 갈아준다. 믹서가 없다면 체에 내려준다.

   ※Tip※ 갈아줄 때는 호박이 식은 후에 갈아준다.

3. 냄비에 2를 넣고 소금을 넣고 농도를 맞춰서 1분간 끓여준다. 불을 끈 후 꿀 1큰술을 넣어 섞어준다.

4. 대추는 돌려깎아서 돌돌 말아 0.2cm 두께로 썬다.

5. 그릇에 담은 후 대추와 호박씨를 띄운다.

NOTE

- 여름에는 냉장고에 두었다 시원하게 즐기고 겨울에는 따뜻하게 데워 먹으면 호박수프의 풍미를 잘 느낄 수 있다.
- 단호박은 당뇨병을 치료, 예방하는 데 효과가 있고 감기예방, 부기 제거에도 큰 도움을 준다. 또한 각종 영양소가 풍부하고 섬유질이 풍부해 적은 양으로도 쉽게 포만감을 느끼게 되고 또한 소화속도가 느리기 때문에 공복감을 덜 느끼게 되어 다이어트 식품으로도 좋은 음식이다.

겉은 바삭 속은 촉촉 두유 프렌치 토스트

- 분량 : 2인분
- 조리시간 : 15분
- 난이도 : 하급

"바게트에 달걀을 씌운 후 토스트해서 만들었다고 이름 붙여진 프렌치 토스트, 달걀물에 우유 대신 두유를 넣어 고소함까지 더했습니다. 새콤한 과일이나 아이스크림을 곁들이면 티타임에 제격인 요리죠."

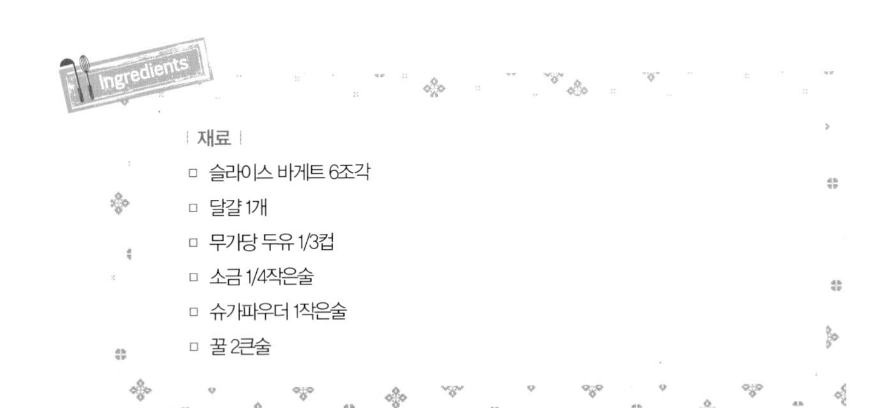

| 재료 |

- 슬라이스 바게트 6조각
- 달걀 1개
- 무가당 두유 1/3컵
- 소금 1/4작은술
- 슈가파우더 1작은술
- 꿀 2큰술

1. 바게트는 사선으로 1cm 두께로 자른다.

2. 볼에 두유, 달걀, 소금을 섞고 바게트를 2초간 담갔다 건진다.

3. 달군 팬에 버터를 녹이고 중약불에 빵을 앞뒤로 1분씩 노릇하게 굽는다.

4. 3을 접시에 담고 슈가파우더를 뿌린 후 꿀이나 잼을 곁들여낸다.

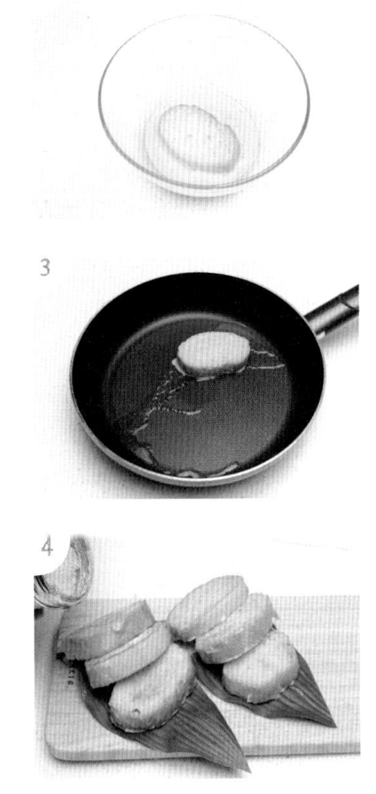

NOTE

바게트가 없다면 식빵으로도 가능하다. 곁들이는 소스도 꿀, 메이플 시럽, 과일잼 등으로 다양하게 응용할 수 있다.

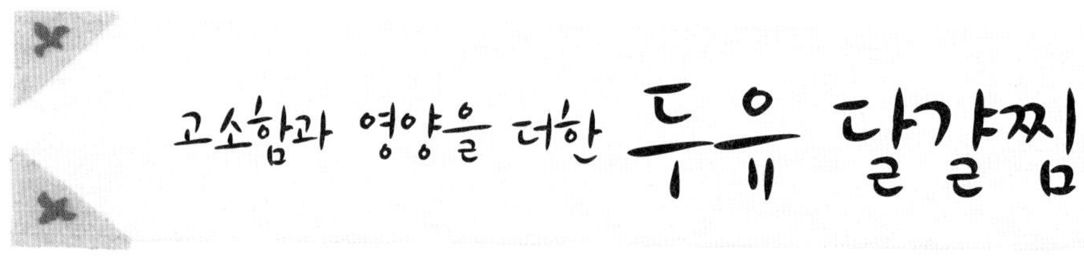

고소함과 영양을 더한 두유 달걀찜

- 분량 : 2인분
- 조리시간 : 20분
- 난이도 : 하급

"달걀찜에 물 대신 두유를 넣어 고소한 맛을 살리고 브로콜리를 넣어 영양과 식감까지 더한 건강 밑반찬이에요. 이가 없으신 어르신들도 아이들도 모두 부담 없이 부드럽게 소화 시킬 수 있는 요리랍니다."

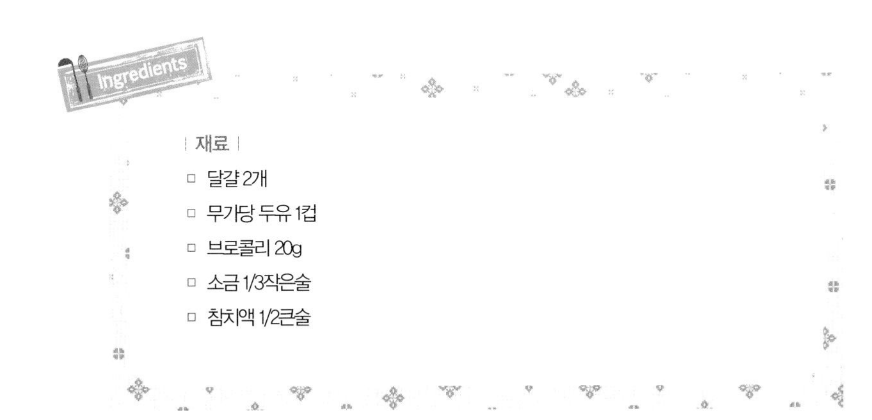

| 재료 |

- □ 달걀 2개
- □ 무가당 두유 1컵
- □ 브로콜리 20g
- □ 소금 1/3작은술
- □ 참치액 1/2큰술

1. 볼에 달걀, 두유, 소금, 참치액을 넣고 잘 풀어 체에 거른다.

   ※Tip※ 달걀을 체에 내려 사용하면 식감이 훨씬 부드럽고 표면이 매끄럽다.

2. 브로콜리는 0.5cm 크기로 썬다.

   ※Tip※ 달걀찜에 들어가는 브로콜리는 호박이나 다른 부드러운 채소로 대체해도 좋다.

3. 1, 2를 내열용기에 담고 랩을 씌운 후 김이 오른 찜기에 올려 15분간 찐다.

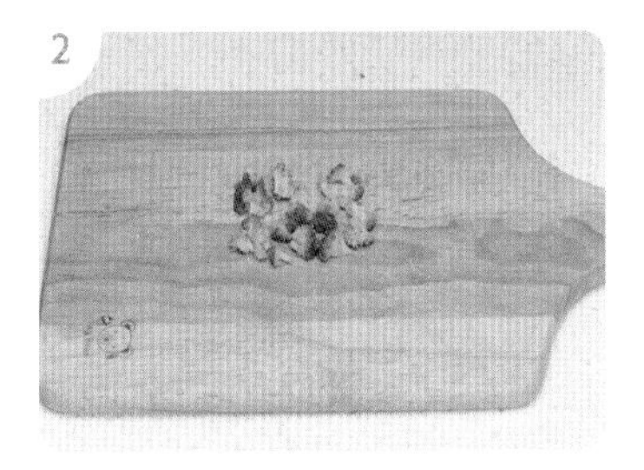

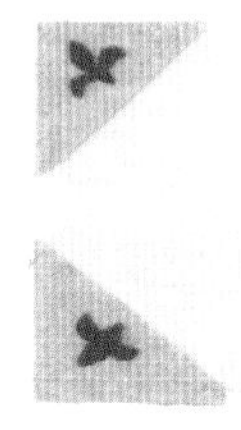

뽀얀 자태 자랑하는 후식 두유 양갱

- 분량 : 3인분
- 조리시간 : 80분
- 난이도 : 하급

"그럴듯한 후식으로 뽀얀 두유 양갱 어떠세요? 과하게 달지 않아 딱이에요."

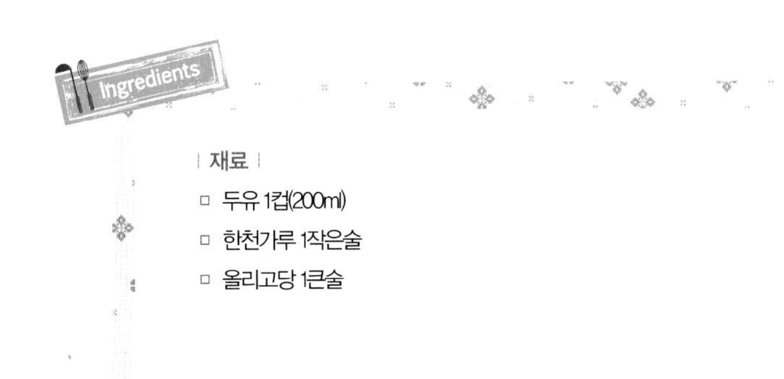

| 재료 |

- 두유 1컵(200ml)
- 한천가루 1작은술
- 올리고당 1큰술

1. 두유에 한천가루를 넣어 10분 정도 불린다.

   ※Tip※ 한천가루를 불려 끓이면 뭉치지 않는다.

2. 냄비에 한천 불린 두유를 넣고 중불로 걸쭉해질 때까지 끓인 후 올리고당을 섞는다.

   ※Tip※ 올리고당은 양갱에 윤기를 준다.

3. 틀에 끓인 2를 붓는다.

4. 냉장고에 약 1시간 정도 굳힌 후 틀로 찍는다.

NOTE

한천은 우뭇가사리로 만든 식물성 가공식품이다. 젤리나 양갱을 만들 때 굳힘제 역할을 하며, 열량이 낮고 변비 예방에도 효과가 있어 다이어트 식품으로도 좋다.

무거운 생크림은 가라 콩가루 두유 파스타

- 분량 : 2인분
- 조리시간 : 30분
- 난이도 : 중급

"크림 파스타하면 보통 생크림을 떠올리시죠? 무거운 생크림 대신 지방과 열량이 낮은 두유를 넣고 만든 파스타예요. 콩가루가 더해져 고소하고 담백한 맛이 크림 못지않은 풍미를 준답니다."

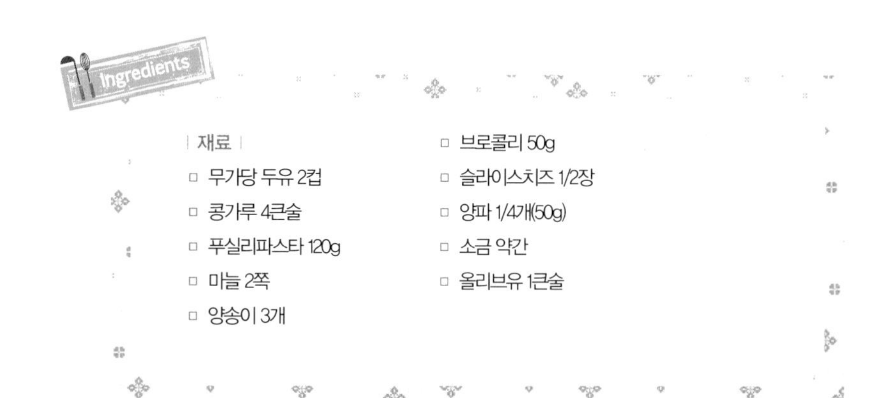

| 재료 |

- 무가당 두유 2컵
- 콩가루 4큰술
- 푸실리파스타 120g
- 마늘 2쪽
- 양송이 3개
- 브로콜리 50g
- 슬라이스치즈 1/2장
- 양파 1/4개(50g)
- 소금 약간
- 올리브유 1큰술

1. 마늘, 양송이는 0.3cm 두께로 편으로 썬다. 브로콜리는 2cm 크기로 썰고, 양파는 0.5cm 두께로 썬다.

2. 끓는 물에 소금을 넣고 브로콜리를 20초간 데친 후 물기를 뺀다. 브로콜리 데친 물에 파스타를 넣고 8분간 삶아, 건진 후 올리브유 1큰술을 넣어 버무린다.

   ※Tip※ 파스타를 삶아낸 후 오일에 버무리면 눌어붙지 않고 면이 탱글하다.

3. 두유와 콩가루는 거품기로 골고루 섞어둔다.

4. 팬에 올리브유를 두른 후 마늘을 넣어 중불에서 30초간 볶다가 양파를 넣고 30초간 더 볶는다. 그 후 양송이를 넣고 30초간 더 볶는다.

5. 4에 3과 치즈를 넣고 저어주면서 중불에서 4분간 끓인다.

   ※Tip※ 콩가루가 잘 뭉쳐지기 때문에 저어주면서 끓여야 잘 풀어진다.

6. 졸여지면 파스타, 브로콜리를 넣고 소금을 넣고 1분 정도 볶는다. 그릇에 담아낸 후 남은 콩가루를 뿌려낸다.

4

5

6

NOTE

파스타는 푸실리, 스파게티, 펜네, 링귀네 등 면의 모양에 따라 이름이 달라진다. 양송이 버섯 외에 새송이나 느타리 등 다른 부재료를 이용하여 다양하게 만들 수 있다.

콩가루가 들어가 더 고소한 콩가루 마들렌

- 분량 : 2인분
- 조리시간 : 1시간
- 난이도 : 중급

"마들렌이란 조개 모양으로 생긴 작은 프랑스 케이크를 말합니다. 맛은 일반 카스테라 맛과 비슷한데요. 마들렌 재료에 콩가루를 첨가했더니 고소한 맛이 더해졌네요. 차나 우유와 함께 곁들이면 좋아요."

| 재료 |

- □ 밀가루(박력분) 70g
- □ 콩가루 20g
- □ 베이킹파우더 2g
- □ 설탕 100g
- □ 달걀 100g
- □ 레몬 껍질 1g(곱게 다지기)
- □ 소금 1g
- □ 녹인 버터 100g
- □ 식용유 1큰술(팬에 바를 것)

1. 볼에 박력분, 베이킹파우더, 설탕을 넣고 거품기로 고루 섞는다.

2. 계란을 1에 2회에 걸쳐 나누어 넣으면서 혼합한다.

3. 2에 레몬껍질과 소금을 넣고 골고루 섞은 다음 녹인 버터를 넣어 부드럽게 섞는다.

4. 실온에서 30분간 휴지시킨다(여름에는 냉장고에서 휴지한다).

5. 마들렌용 팬에 식용유를 바른 후 반죽을 80% 정도 채운다.

   ×Tip× 빵이 굽는 동안 오븐에서 부풀어 오르기 때문에 가득 채우면 넘친다.

6. 190℃로 예열된 오븐에서 20분간 굽는다.

NOTE

마들렌 틀이 없다면 일반 머핀 틀로 대체해도 좋다.

비 오는 날이면 생각나는 구수한 콩가루 해물파전

- 분량 : 2인분
- 조리시간 : 30분
- 난이도 : 중급

"흐린 날이나 비 오는 날에는 생각나는 음식이 전이죠? 전 중에서도 해물파전이 으뜸인데요. 반죽에 콩가루를 넣어 고소한 맛을 살려줬어요. 막걸리와 곁들여 먹으면 더욱 별미겠죠."

재료
- 콩가루 1큰술
- 밀가루 1/2컵
- 찹쌀가루 1큰술
- 쪽파(또는 실파) 70g
- 해물 (굴, 홍합, 새우살, 조개살 등) 60g
- 쇠고기 20g
- 달걀 1개
- 홍고추 1/2개
- 소금 1/2작은술
- 물 1/2컵

쇠고기양념
- 다진 마늘 1/2작은술
- 깨소금 약간
- 후춧가루 약간
- 참기름 1작은술
- 간장 1/2작은술
- 설탕 1/4작은술

초간장
- 간장 1큰술
- 식초 1/2큰술
- 설탕 1/2작은술

1. 볼에 콩가루, 밀가루, 찹쌀가루를 물, 소금을 넣고 반죽한다.

2. 쪽파는 손질 후 굵은 부분은 세로로 2등분한다. 홍고추는 4cm 길이로 채썬다.

3. 해산물은 소금물에 씻어 물기 제거한다. 쇠고기는 채썰어 쇠고기 양념에 무친다.

   ※Tip※ 해물을 비롯한 실파는 금방 익기 때문에 쇠고기는 다른 재료들과 비슷한 시기에 익도록 가늘게 채썰어 주는 것이 좋다.

4. 약불로 예열시킨 팬에 식용유를 두른 후 쪽파에 날 밀가루를 살짝 묻힌 후 1의 반죽에 담갔다 건져 팬 위에 펼쳐서 올린다. 그 위에 1의 반죽을 골고루 얹어주고 그 위에 해물과 쇠고기를 골고루 얹고 달걀물을 골고루 얹어준다. 그 위에 홍고추를 골고루 얹는다.

   ※Tip※ 실파는 금방 숨이 죽고 잘 타므로 중약불에서 지져내는 것이 좋다.

5. 밀가루 반죽이 투명해지기 시작하고 밑면이 노릇해지면 뒤집어 반대편도 노릇하게 지져낸다.

6. 완성 그릇에 담아낸 후 초간장을 만들어 곁들여낸다.

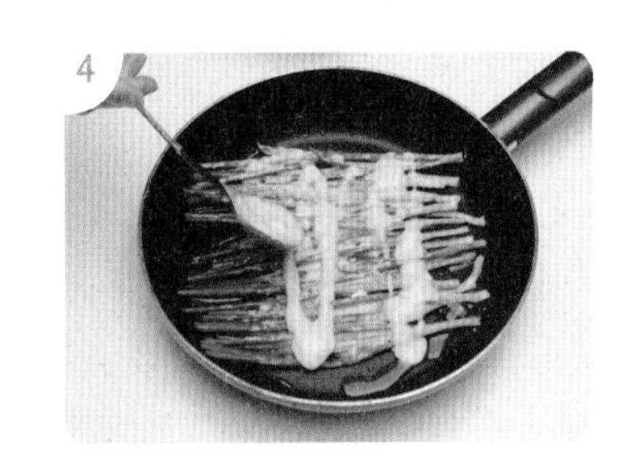

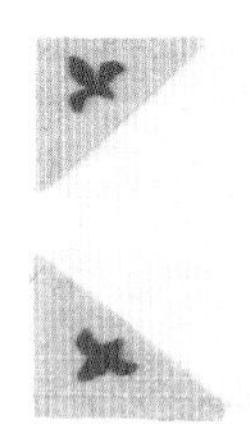

시골 맛이 그립다면 콩비지 장떡

- 분량 : 2인분
- 조리시간 : 30분
- 난이도 : 중급

"어렸을 적 외갓집에 놀러 가면 외할머니께서 된장과 고추장 만으로 전을 만들어 주셨는데 정말 맛있게 먹었던 기억이 나네요. 찹쌀가루를 넣어 식혀 먹으면 더 쫄깃한 식감이 살아나요."

재료	양념	
□ 콩비지 200g	□ 고추장 1큰술	□ 들기름 1작은술
□ 찹쌀가루 2큰술	□ 된장 1/2큰술	□ 달걀 1개
□ 밀가루 5큰술	□ 다진 마늘 1작은술	초간장
□ 청고추 1개	□ 깨소금 약간	□ 간장 1큰술
□ 홍고추 1개	□ 후춧가루 약간	□ 식초 1/2큰술
□ 식용유 1/3컵	□ 올리고당 1작은술	□ 설탕 약간

1. 고추는 0.2cm 두께로 둥글게 썬다.

2. 볼에 콩비지를 넣고 고추장, 된장을 풀어준다.

3. 2에 찹쌀가루, 밀가루, 양념 재료를 넣고 골고루 섞어 반죽한다.

4. 팬에 식용유를 두른 후 반죽을 떠서 지름은 5cm 정도, 두께는 0.8cm로 편 후 중불에서 아래면을 지져내면서 윗면에는 청홍고추를 올린다. 밑면이 투명해져 익으면 뒤집어서 같은 방법으로 2분 정도 더 익힌다.

Tip 찹쌀가루가 들어간 전은 다른 전과는 달리 팬에서 지져낼 때 잘 눌어붙으므로 기름을 넉넉히 두르고 뒤집개에도 기름을 둘러 지져내는 것이 좋다.

5. 그릇에 담아낸 후 초간장과 곁들여 낸다.

NOTE

우리 고유의 음식 중 찹쌀가루나 밀가루에 고추장, 된장, 간장 등으로 간을 해 반대기(가루를 반죽한 것이나 삶은 푸성귀 따위를 평평하고 둥글넓적하게 만든 조각)를 만들어 기름에 지지거나 구운 요리를 장떡이라 한다. 짭짤하게 간이 되어 도시락 반찬이나 밑반찬으로 좋다. 또한, 다른 전과는 달리 뜨거울 때보다 식었을 때가 쫀득하여 더 맛있는 요리이다.

알록달록 고소한 콩비지 옥수수 콘 샐러드

- 분량 : 3인분
- 조리시간 : 20분
- 난이도 : 중급

"매시드포테이토 샐러드를 응용해 콩비지로 만든 샐러드예요. 콩비지는 아이들이 잘 먹지 않는 음식 중 하나죠. 하지만 옥수수와 햄을 넣어 아이들의 입맛까지 사로잡는 요리랍니다."

| 재료 |

- □ 콩비지 250g
- □ 소금 1꼬집
- □ 후춧가루 약간
- □ 캔 완두콩 20g
- □ 캔 옥수수 50g
- □ 슬라이스 햄 30g
- □ 마요네즈 1/2큰술
- □ 설탕 1/4작은술

1. 콩비지는 면보에 꼭 짜서 물기를 빼고 예열된 팬에 약불로 2~3분 볶아서 남은 물기를 제거한다. 소금, 후춧가루를 넣고 간한다.

2. 슬라이스 햄은 옥수수 크기로 자른다.

3. 캔 옥수수는 체에 밭쳐 물기를 제거한다.

   ※Tip※ 재료에 수분이 많이 남아 있으면 간이 배지 않고 겉돌기 때문에 각각 재료의 수분은 꼭 제거해주는 것이 좋다.

4. 비지가 식으면 볼에 담고 완두, 옥수수, 햄을 넣고 마요네즈를 넣어 섞어준다.

   ※Tip※ 비지는 따뜻할 때 버무리면 금방 상하므로 식힌 후에 버무리는 것이 좋다.

1

3

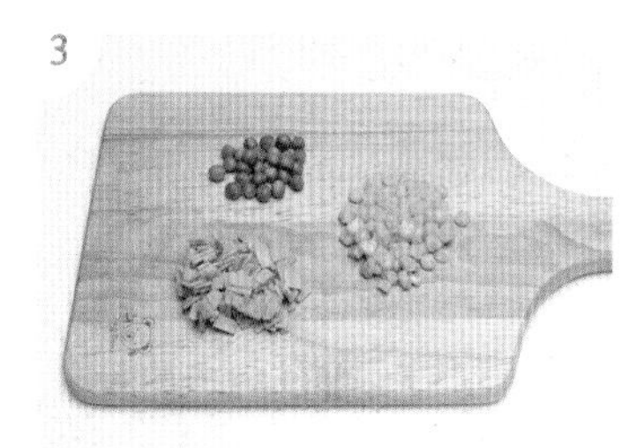

4

유부와 뿌리 채소의 만남

유부 우엉 들깨소스 무침

- 분량 : 2인분
- 조리시간 : 20분
- 난이도 : 중급

"뿌리 채소엔 땅의 기운이 가득 들어 있다고 하죠. 땅의 기운 머금은 우엉과 만나 영양이 2배 증가한 요리입니다."

재료	조림 양념	들깨 소스
□ 우엉 80g	□ 물 1컵	□ 마요네즈 3큰술
□ 유부 3장	□ 간장 2큰술	□ 들깨가루 3큰술
□ 당근 20g	□ 설탕 1큰술	□ 설탕 1큰술
□ 식초 1작은술	□ 맛술 1큰술	□ 간장 1작은술
□ 물 1컵		

1. 우엉을 5cm 길이로 곱게 채썰어 식초 1작은술, 물 1컵에 5분간 담근다.

   ※Tip※ 우엉은 식초물에 담그면 아린 맛을 없앨 수 있고 갈변을 막는다.

2. 유부, 당근은 4cm 길이로 곱게 채썬다.

3. 양념을 냄비에 넣고 끓으면 우엉, 유부, 당근, 조림 양념을 넣고 중불로 5분간 조린다.

   ※Tip※ 조림 양념에 가볍게 조리면 재료에 간이 배고, 우엉과 당근이 억세지 않게 된다.

4. 조린 재료는 체에 건져 식힌다.

   ※Tip※ 재료가 완전히 식어야 무친 후 소스가 액상화 되지 않는다.

5. 들깨 소스를 분량대로 섞어 식힌 재료를 버무린다.

1

3

5

우리 집 식탁 위 인기 반찬 유부 어묵 볶음

- 분량 : 2인분
- 조리시간 : 15분
- 난이도 : 하급

"어묵 한 봉지 사면 남을 때가 종종 있어요. 냉장고에 넣어 두곤 잊어버리기 십상이죠. 어묵과 유부를 달달 볶아 짭짤한 반찬으로 만들어 보세요. 썰렁한 식탁에 활기를 넣어줄 거예요."

재료	유부 · 어묵 · 표고 양념	전체 양념
□ 유부 5장	□ 물 2큰술	□ 물엿 1큰술
□ 사각어묵 150g	□ 맛술 2큰술	□ 참기름 1작은술
□ 불린 표고 2개	□ 간장 2큰술	□ 통깨 1작은술
□ 청고추 1개	□ 설탕 1큰술	
□ 홍고추 1개		
□ 포도씨유 1작은술		

1. 유부, 어묵은 5×0.3cm 크기로 채썰어 끓는 물에 살짝 데친다. 표고, 고추도 비슷한 두께로 채썬다.

   ※Tip※ 유부는 두부를 가공해 튀겼고, 어묵은 생선을 가공해 튀겼으므로 데쳐야 기름기가 줄어들어 맛이 깔끔하다.

2. 팬에 포도씨유를 두르고 유부와 어묵, 표고를 중불로 5분간 볶는다.

   ※Tip※ 팬에 충분히 볶으면 각각의 맛이 더욱 풍부해진다.

3. 유부, 어묵, 표고는 양념을 넣어 바짝 볶는다.

4. 채썬 고추, 전체 양념을 넣어 버무린다.

1

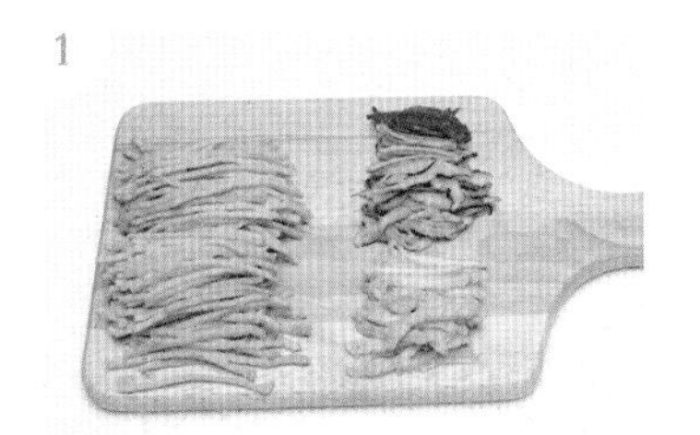

2

4

한입에 후루룩 우뭇가사리 콩비지 냉국

- 분량 : 2인분
- 조리시간 : 15분
- 난이도 : 하급

"여름엔 콩국수 많이 드시는데요. 응용해서 우뭇가사리로 색다르게 즐겨보세요. 구수하고 담백한 콩비지 국물에 보들보들 부드러운 식감까지 열량 걱정은 NO! 이 정도면 일석이조죠?"

| 재료 |

- 우뭇가사리 250g
- 콩비지 150g
- 무가당 두유 1컵(200ml)
- 오이 1/4개
- 홍고추 1/4개
- 검은깨 1/2작은술
- 연두 1작은술
- 소금 약간

1. 볼에 콩비지, 무가당 두유, 연두, 소금을 넣고 섞어 콩국물을 만든다.

2. 우뭇가사리는 0.3cm 폭으로 채썬다. 오이는 가늘게 채썰고 홍고추는 동그랗게 송송 썬다.

3. 그릇에 우뭇가사리를 담고 1의 국물을 부은 후 오이, 홍고추, 검은깨를 얹는다.

1

2

3

우뭇가사리는 해조류로 한천의 원료로 이용된다. 혈압을 낮추고 식이섬유가 풍부하며 장 내에서 콜레스테롤을 줄여주는 역할을 해서 고혈압, 동맥경화, 당뇨병 예방효과가 있는 몸에 좋은 식재료이다.

알록달록 돌돌 말린 채소들 유부 채소 롤

분량 : 2인분
조리시간 : 15분
난이도 : 하급

"냉장고 속 처치 곤란한 채소들 어떻게 먹을까 고민하셨죠? 유부 속에 채소들을 넣어보세요. 유부 속 알록달록 채소들이 말려 있어 모양과 맛, 영양까지 일품인 요리가 된답니다."

| 재료 |

- □ 유부 6장
- □ 오이 1/2개
- □ 홍피망 1/3개
- □ 당근 1/4개(50g)
- □ 무순 20g
- □ 숙주 100g
- □ 식용유 2큰술

| 숙주 · 당근 간 |

- □ 소금 2꼬집
- □ 참기름 1/2작은술

| 유부양념 |

- □ 간장 1큰술
- □ 청주 1큰술
- □ 물 4큰술
- □ 설탕 1/2큰술

Directions

1. 숙주는 머리와 꼬리를 제거하고, 오이는 5cm 길이로 얇게 채썬다. 당근과 홍피망도 오이와 비슷한 크기로 채썬다.

2. 뜨거운 물에 숙주를 데친 후 찬물에 헹군 뒤 소금, 참기름 약간을 넣고 무친다. 숙주 데친 물에 유부를 데친 후 찬물로 헹군다.

3. 분량의 재료를 넣고 유부를 조린 뒤 가장자리 면을 자른 뒤 5cm 폭으로 펼친다.

4. 달군 팬에 당근을 넣고 참기름, 소금 약간으로 간을 한 후 1분간 살짝 볶는다.

5. 홍피망을 소금 약간으로 간한 후 팬에 식용유를 두르고 30초간 살짝 볶는다.

   ※Tip※ 유부 속에 들어가는 채소들은 아삭한 식감이 살아날 수 있도록 살짝만 볶아준다.

6. 조린 유부를 깔고 준비한 재료를 골고루 넣은 후 돌돌 만다.

1

2

6

달걀옷 입힌 김밥 유부 달걀 마리

- 분량 : 2인분
- 조리시간 : 20분
- 난이도 : 중급

"평범한 김밥이 지겨울 땐 노란 달걀옷 입힌 김밥은 어떠세요? 속에는 유부를 짭쪼름하게 조려 넣었어요. 요즘 대세인 달걀 마리 김밥, 따라해 보세요."

| 재료 |

- □ 밥 150g
- □ 김밥 김 1장
- □ 유부 3장
- □ 스팸 30g
- □ 달걀 1개
- □ 피자치즈 15g
- □ 식용유 1작은술

| 배합초 |

- □ 식초 2작은술
- □ 설탕 1작은술
- □ 소금 1/3작은술

| 조림양념 |

- □ 맛술 1큰술
- □ 간장 1작은술
- □ 설탕 1작은술

1. 배합초의 식재료를 모두 섞어 냄비에 살짝 끓이고, 잠시 식힌 후 밥에 고루 버무려 양념한다.

2. 유부는 채썰고, 스팸은 0.3cm 두께로 길게 썬다.

3. 팬에 조림 양념, 유부, 스팸을 넣고 고루 조린다.

4. 김을 2등분해, 김발 위에 놓고, 초양념한 밥을 깔고 조린 유부, 조린 스팸을 올리고 돌돌 말아 낸다.

5. 팬에 식용유를 두르고 풀어 놓은 달걀을 펼친다.

6. 달걀의 윗면이 익기 전 피자치즈를 뿌린다.

   ※Tip※ 팬이 강하게 달궈졌을 때 달걀을 펼치고 바로 불을 끄고 피자치즈를 뿌린다. 그래야 팬에 달걀이 붙거나 타지 않는다.

7. 말아놓은 김밥을 달걀 양쪽 끝에 하나씩 놓고, 각각 중앙으로 돌려 감싼다.

   ※Tip※ 피자치즈가 녹으면서 김밥을 달걀과 밀착시키는 작용을 한다.

8. 완전히 식으면 한입 크기로 6등분한다.

   ※Tip※ 완전히 식으면 썰어주어야 모양이 예쁘다. 입맛이나 취향에 따라 크기나 모양을 달리해도 좋다.

3

4

7

알록달록, 밑반찬의 변신 유부 곤약조림

- 분량 : 2~3인분
- 조리시간 : 30분
- 난이도 : 중급

"유부는 단백질을 비롯해 칼슘 등이 풍부해 어린이 성장발육에 좋은데요. 간장에 조리면 더 맛이 나는 쫀득한 식감의 곤약을 넣어 조려 도시락 반찬이나 밑반찬으로 아주 좋아요."

재료		
ㅁ 유부 5장	ㅁ 다시마 6cm 1장	ㅁ 청주 1큰술
ㅁ 곤약 150g	ㅁ 검은깨 1/2작은술	ㅁ 설탕 1/2큰술
ㅁ 당근 1/4개	ㅁ 식용유 1큰술	ㅁ 올리고당 1/2큰술
ㅁ 꽈리고추 10개		ㅁ 다진 마늘 1작은술
ㅁ 홍고추 1/2개	양념	ㅁ 다시물 1/2컵
ㅁ 은행 5알	ㅁ 진간장 1⅓큰술	ㅁ 참기름 1/2큰술
	ㅁ 참치액 1작은술	

1. 다시물을 우린 다시마는 건져서 4cm로 채썬다. 곤약은 2cm×5cm, 두께 0.3cm로 썬 후 가운데 3군데 칼집을 넣은 후 칼집 낸 부분으로 뒤집어 준다.

2. 은행은 기름에 볶아 껍질을 벗겨놓는다.

3. 곤약은 뜨거운 물에 유부와 함께 데친다. 유부는 물기를 짠 후 1cm 폭으로 썬다.

4. 당근은 두께 0.2cm로 틀로 찍거나 반달 모양으로 썬다. 홍고추는 어슷썰기 하거나 모양틀로 찍어낸다.

5. 냄비에 다시물과 양념을 넣고 곤약을 넣고 졸이다 국물이 졸여지면 당근, 유부, 꽈리고추, 채썬 다시마를 넣고 조린다.

6. 간이 배고 자작하게 조려지면 불을 끈 후 은행, 홍고추를 넣고 버무린다.

   Tip 은행은 처음부터 함께 넣고 조리면 색이 바래고 식감도 떨어지므로 다 조린 후 섞는 것이 좋다.

7. 그릇에 담은 후 검은깨를 뿌려낸다.

1

4

6

NOTE

조림에 어묵이나 삶은 계란, 메추리알 등을 넣으면 더 풍성하게 즐길 수 있다. 칼로리가 거의 없으면서 섬유질이 풍부한 곤약은 장의 작용을 활발하게 해주어 변비가 있는 사람에게 좋다.

달걀이 유부주머니 속으로 쏘옥~

유부 달걀 조림

분량 : 5개 분량
조리시간 : 30분
난이도 : 중급

"유부에 달걀을 넣어 손쉽게 만들 수 있는 특별한 밑반찬이에요. 유부에 달걀을 넣을 때 노른자가 터지지 않도록 주의하세요! 그래야 익혔을 때 주머니가 볼록해져 예쁘답니다."

| 재료 |

- □ 유부 5장
- □ 미나리 5줄기
- □ 달걀 5개
- □ 소금 1꼬집

| 조림 양념 |

- □ 물 1½컵
- □ 간장 1½큰술
- □ 참치액 1작은술
- □ 청주 1큰술
- □ 다진 마늘 1작은술
- □ 대파 5cm 1대(다지기)
- □ 설탕 1큰술
- □ 물엿 2큰술
- □ 참기름 1작은술

1. 사각 모양의 유부는 한쪽 면을 0.1cm 안쪽으로 자른다.

2. 끓는 물에 소금을 약간 넣고 미나리는 잎 부분은 잘라내고 줄기만 30초간 데친다. 미나리 데친 물에 **1**의 유부를 넣고 1분간 데친다.

   ※Tip※ 미나리를 데칠 때 소금 약간을 넣어주면 미나리의 선명한 색감을 유지할 수 있다.

   ※Tip※ 유부가 끓으면서 떠오르므로 물속으로 잠기게 꾹꾹 눌러가며 데친다.

3. 달걀은 흰자, 노른자로 분리해 데친 유부 1장을 벌려 달걀 노른자 1개를 숟가락을 이용해 깨지지 않도록 조심스레 넣는다.

4. **3**을 데친 미나리로 묶는다.

   ※Tip※ 미나리로 묶을 때는 유부가 쓰러지지 않도록 컵이나 계량컵 안에 받쳐서 묶어주는 것이 좋다.

5. 냄비에 양념장을 만들어 끓인다. 끓기 시작하면 조림장에 유부주머니를 체에 담아 넣고 중불에서 7분 정도 조린다.

   ※Tip※ 유부주머니를 잘 세워야 달걀이 흘러나오지 않고 모양이 예쁘게 되므로 받침이나 망으로 세워서 조리는 것이 좋다.

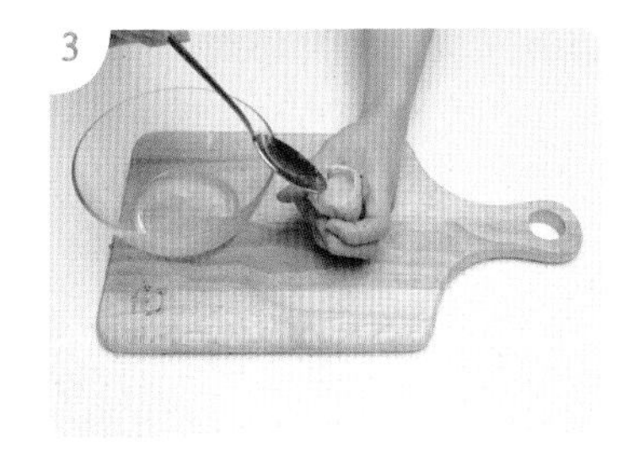

샐러드를 품은 유부 유부초밥 롤 샐러드

- 분량 : 2인분
- 조리시간 : 25분
- 난이도 : 중급

"유부초밥에 캘리포니아 롤 맛을 가미시킨 요리예요. 유부초밥 위에 상큼하고 고소한 샐러드가 얹어져 한층 더 멋스럽고 맛있답니다. 나들이 갈 때 또는 집에서 한끼 식사로도 인기 만점 메뉴가 된답니다."

| 재료 |

- 밥 1공기
- 시판 초밥소스 1개
- 유부 10개
- 게맛살 70g
- 오이 1/3개
- 양파 50g
- 비트 20g
- 새싹 채소 10g
- 소금 1/2작은술

| 양념 소스 |

- 마요네즈 2큰술
- 레몬즙 1작은술
- 고추냉이 1작은술

1. 유부는 물기를 꼭 짠다.

2. 밥에 유부초밥 소스와 볶음 재료를 넣고 섞어 초밥을 만들어 놓는다.

3. 게맛살은 5cm 길이로 자른 후 가늘게 찢는다. 오이도 5cm 길이로 썬 후 돌려깎기 하여 가늘게 채썬다. 양파도 가늘게 채썬다. 비트도 가늘게 채썬다.

4. 오이와 양파는 물 1/3컵에 소금 1/2작은술을 넣고 5분간 절인다. 절인 후 물기를 꼭 짠다.

   ※Tip※ 마요네즈에 버무릴 때 모든 재료의 수분이 제거되어야 소스가 분리되지 않는다.

5. 볼에 3을 넣고 양념을 넣고 고루 섞는다.

6. 유부를 벌려서 초밥을 반 정도 채우고 그 위에 샐러드를 올린다.

7. 6의 위에 새싹 채소나 무순을 올려 장식한다.

3

5

6

환상궁합 낫또 김죽

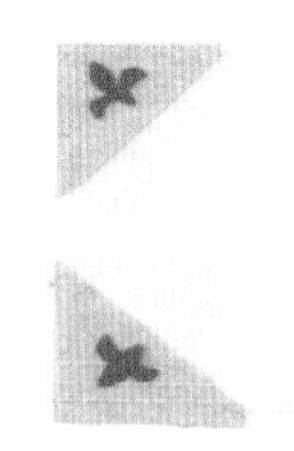

분량 : 2인분

조리시간 : 25분

난이도 : 중급

"일본의 대표 콩발효 식품인 낫또는 김과 특히나 잘 어울리는데요. 정성 가득 들어가 굳이 환자식이 아닌 별미로도 제격인 낫또 김죽입니다."

| 재료 |

- 흑미 1컵(불린 후 1 1/2컵)
- 다시물 8컵
- 마른 김 4장
- 낫또 80g
- 달걀 2개
- 참기름 1큰술
- 참치액 1큰술
- 소금 1작은술

1. 불린 쌀을 절구나 볼에 넣고 절반 크기로 빻는다.

   ※Tip※ 쌀을 빻아 넣어야 빨리 퍼지고 소화도 잘된다.

2. 냄비에 참기름, 빻은 쌀을 넣어 약불로 2분간 볶는다.

   ※Tip※ 쌀을 참기름에 볶으면 죽이 더욱 고소하고 참기름이 웃물에 뜨지 않는다.

3. 다시물을 넣어 끓으면 김을 부셔 넣는다.

4. 중불로 15분 정도 끓여 쌀알이 퍼지면 낫또, 참치액, 소금을 넣어 1분간 끓인다.

5. 완성 그릇에 낫또 김죽을 담고 달걀노른자를 올린다.

1

2

4

참치회의 변신 김치 낫또 회무침

- 분량 : 2인분
- 조리시간 : 20분
- 난이도 : 하급

"참치 회에 감칠맛 나는 김치와 구수한 낫또를 넣어서 새로운 참치 회를 만들었어요. 김치를 넣어 참치의 느끼한 맛을 잡아주고 낫또의 구수함이 가미되어 색다른 맛을 느끼게 해 준답니다."

| 재료 |
- 김치 100g
- 냉동 참치 100g
- 소금 1꼬집
- 물 1컵
- 낫또 100g
- 실파 1줄기
- 마른 김 3장

| 낫또양념 |
- 갠 겨자 1/2작은술
- 간장 1/2작은술

| 김치양념 |
- 통깨 1/2작은술
- 참기름 1/2작은술
- 올리고당 1/2작은술

1. 낫또는 양념을 넣고 고루 섞어준다.

2. 냉동 참치는 연한 소금물에 물 1컵 소금 한 꼬집을 넣고 30초간 담갔다 건져 면보로 물기 제거한 후 한입 크기로 썬다.

   ※Tip※ 참치는 연한 소금물에 해동해야 본연의 맛과 식감을 살릴 수 있다.

3. 김치는 1cm 크기로 송송 썰어 물기를 짠 다음 양념을 넣고 잘 무친다.

   ※Tip※ 김치는 무치기 전에 물기를 꼭 제거해야 김과 싸 먹을 때 국물이 흘러내리지 않는다.

4. 실파는 송송 썰고 김 1/2장은 3cm 길이로 채 썰고 나머지 김은 7cm×4cm 크기로 자른다.

5. 그릇에 김치, 참치, 낫또를 보기 좋게 담은 뒤 그 위에 채썬 김과 송송 썬 실파를 올린다. 구운 김과 곁들여 내거나 모든 재료를 함께 무쳐서 낸다.

   ※Tip※ 참치를 잘게 잘라서 김치와 낫또와 함께 무쳐 틀에 찍어 내면 색다른 모양의 참치회가 된다.

1

2

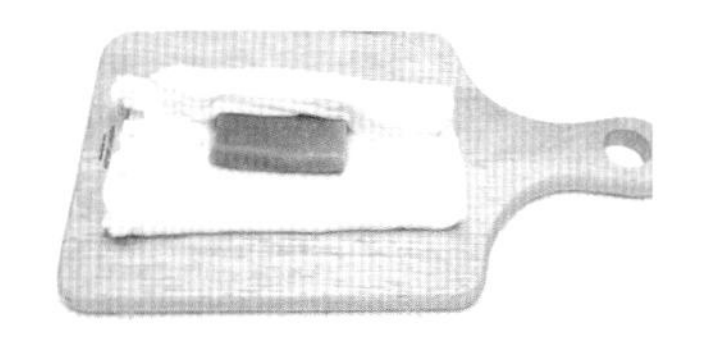

3

NOTE

낫또는 우리의 청국장과 마찬가지로 볏짚의 바실러스균을 이용해 발효시킨 것으로 끈적끈적한 점액이 콩의 표면을 싸고 있으며 저으면 저을수록 부피가 점점 더 커지고 더욱 끈적끈적해지는 일본의 보편화된 발효식품이다. 낫또의 원료인 콩은 단백질과 지방, 미네랄 등이 균형 있게 함유되어 있어 심장병, 골다공증 예방, 정장작용, 노화억제, 비만을 예방하는 효능을 가지고 있다.

각종 재료로 예쁘게 감싼 낫또복쌈

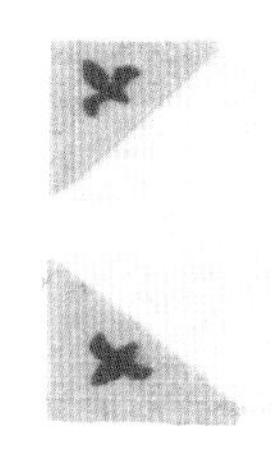

분량 : 2인분

조리시간 : 30분

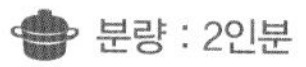

난이도 : 중급

"복쌈이란 정월대보름에 먹는 시절식 중 하나로 쌈을 먹으면서 복을 기원했던 음식으로 싸먹는 부재료는 각종 채소나 김, 나물로 싸먹는 건데요. 속 재료에 고소한 낫또를 넣어서 색다른 쌈밥으로 변신시켰어요."

| 재료 |

- □ 다진 쇠고기 50g
- □ 낫또 30g
- □ 밥 1공기(200g)
- □ 양배추 50g
- □ 쌈 다시마 50g
- □ 미나리 30g
- □ 쌈장 2큰술
- □ 소금 1/4작은술
- □ 참기름 1작은술
- □ 깨소금 약간

| 소고기 양념 |

- □ 다진 마늘 1/2작은술
- □ 간장 1작은술
- □ 설탕 1/2작은술
- □ 깨소금 약간
- □ 후춧가루 약간
- □ 참기름 1작은술

1. 다진 쇠고기는 양념해 중약불에서 익을 때까지 볶는다.

   ※Tip※ 다진 고기를 너무 강불에서 볶게 되면 덩어리로 뭉쳐서 잘 풀어지지 않는다.

2. 밥에 쇠고기, 낫또, 소금 1/4작은술, 참기름 1작은술을 넣고 밑간한다.

3. 양배추는 심지 부분은 잘라내고 잎만 사용해 뜨거운 물에 3분간 데친 후 건져 식힌다. 양배추 데친 물에 미나리도 1분간 데친다. 쌈 다시마는 30초간 데친 후 찬물에 5분간 담가 염분기를 제거한다.

4. 양배추를 펴서 쌈장 약간을 바른 후 그 위에 2를 1큰술 정도 넣고 돌돌 말아준다. 미나리로 묶어준다. 다시마도 펴서 똑같은 방법으로 돌돌 말아준 후 미나리로 묶어준다.

1

2

4

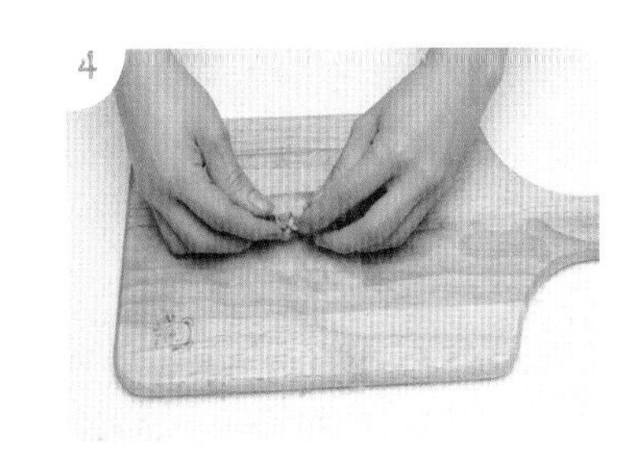

NOTE

다시마, 양배추 외에도 배추김치나 깻잎 등 다른 채소로도 대체하거나 추가할 수 있다.

오감만족 닭가슴살 낫또치즈말이

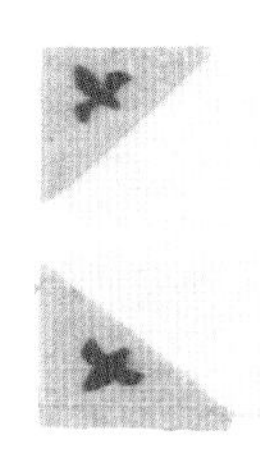

분량 : 2인분
조리시간 : 40분
난이도 : 중급

"다이어트 식품의 대표주자 닭가슴살을 색다르게 즐겨보는 건 어떨까요? 모양도 맛도 색도 즐거워지는 요리랍니다. 그렇다고 살찔 걱정도 없는 요리! 여러분도 한번 도전해 보세요."

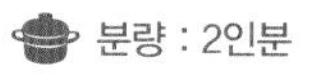

재료		닭가슴살 양념	발사믹 소스
□ 닭가슴살 200g	□ 어린잎 채소 20g	□ 소금 1/2작은술	□ 발사믹식초 1/2컵
□ 파프리카(노랑, 빨강, 초록) 30g	□ 새싹 채소 20g	□ 후춧가루 약간	□ 올리브유 1큰술
□ 소금 1꼬집	□ 깻잎 2장	□ 청주 1큰술	□ 양파 20g
□ 낫또 30g	□ 밀가루 1큰술		□ 설탕 1작은술
□ 치즈 2장	□ 참치액 1작은술		□ 소금 1/2작은술
	□ 식용유 2큰술		□ 후춧가루 약간

1. 닭가슴살은 얇게 저며서 칼로 두들겨 연하게 만든다. 소금, 후춧가루, 청주 1큰술로 간한다.

2. 파프리카는 다진다. 팬에 소금 1꼬집을 넣고 1분간 살짝 볶는다.

3. 볼에 낫또, 2를 넣고 섞어 참치액 1작은술을 넣고 섞어준다.

4. 1을 펴서 그 위에 치즈를 올리고 그 위에 깻잎을 편 후 3을 올려서 돌돌 말아준다. 끝 부분에는 살이 잘 달라붙도록 밀가루를 뿌린 후 말아준다.

5. 예열된 팬에 식용유를 두른 후 4를 약불에서 돌려가면서 골고루 익혀낸다. 뚜껑을 덮고 5분 정도 익혀준다. 닭고기가 노릇하게 속까지 다 익으면 먹기 좋은 한입 크기로 썰어준다.

   ※Tip※ 익힐 때 뚜껑을 덮고 익히면 속까지 골고루 익는다.

6. 팬에 발사믹 소스 재료를 넣고 중불에 은근히 끓여 반으로 졸인다.

7. 완성 그릇에 5를 담고 새싹 채소, 어린잎 채소를 곁들이고 발사믹소스를 뿌리거나 곁들여낸다.

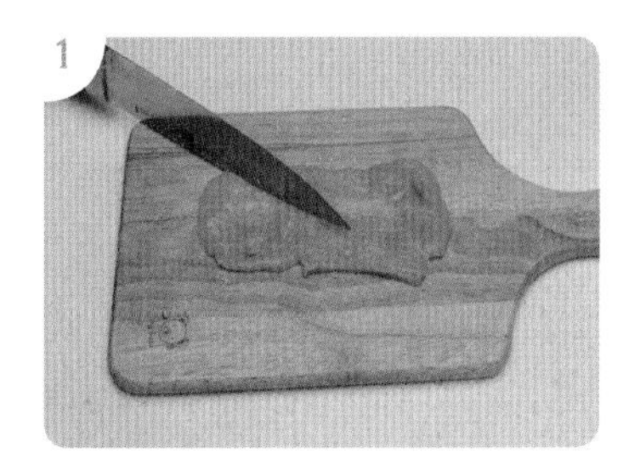
1

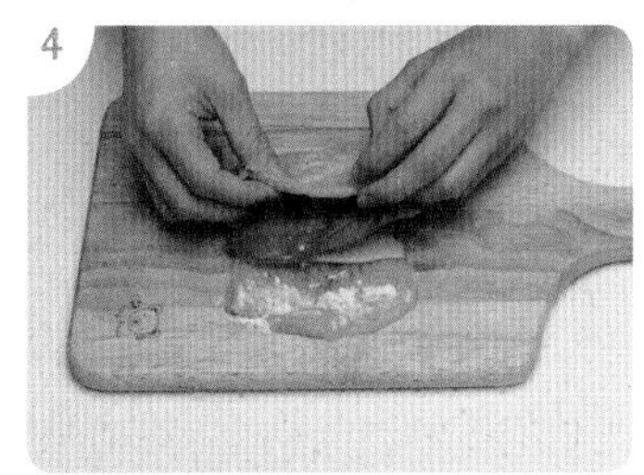
4

5

자극적이지 않고 구수한 미역미소된장국

- 분량 : 2인분
- 조리시간 : 30분
- 난이도 : 중급

"재래된장국, 찌개 하면 구수한 맛은 있지만 짠맛이 강하죠? 일본식 미소된장국은 담백하고 고소한 맛이 나는 부드러운 된장국이에요."

| 재료 |
- □ 다시마 6cm 1장
- □ 가쓰오부시 1/2컵
- □ 물 2½컵
- □ 마른 미역 10g
- □ 두부 1/10모(30g)
- □ 팽이버섯 1/4봉지
- □ 실파 1줄기
- □ 미소된장 1½큰술

1. 다시마는 행주로 닦은 후 냄비에 넣고 찬물(2½컵)에서부터 서서히 끓인다. 마른 미역은 물에 불린다.

2. 다시물이 끓으면 가쓰오부시를 넣고 불을 끈 후 10분 정도 우려서 체에 거른다.

   ※Tip※ 다시마는 너무 오래 끓이면 맛이 텁텁하고 깔끔하지 못하므로 끓기 시작하면 바로 불을 끄고, 가쓰오부시는 끓여 사용하면 비린내가 날 수 있어, 우려서 사용한다.

3. 두부는 사방 0.5cm로 썰고 물에 불린 미역은 1cm 크기로 잘게 썰고 팽이버섯은 2cm 길이로 자른다. 실파는 송송 썬다.

   ※Tip※ 마시는 국물이므로 건더기가 크지 않아야 먹기가 편하다.

4. 냄비에 2를 담고 된장을 체에 풀어 끓인다. 끓기 시작하면 두부, 미역, 팽이버섯을 넣고 중불에서 3분간만 살짝 끓인 후 불을 끄고 실파를 띄워낸다.

   ※Tip※ 일반 된장국과는 달리 심심하게 끓이기 때문에 간은 세게 하지 않는 것이 좋다.

2

3

4

밥 생각이 절로 나는 차돌박이 청국장찌개

- 분량 : 2인분
- 조리시간 : 30분
- 난이도 : 중급

"청국장은 특유의 향 때문에 호불호가 강한 것 같아요. 청국장의 깊은 맛은 살리면서 된장을 넣어 특유의 향은 줄이고 쫄깃한 차돌박이를 넣어 누구나 반할만한 맛의 찌개가 되었답니다."

| 재료 |
- 차돌박이 100g
- 애호박 1/5개(30g)
- 두부 1/6모(약 50g)
- 청양고추 1개
- 홍고추 1개
- 느타리버섯 30g
- 양파 1/6개
- 들기름 1작은술
- 다진 마늘 1큰술
- 다시물 2컵

| 양념 |
- 청국장 1큰술
- 된장 1큰술
- 고춧가루 1작은술
- 참치액 1큰술

1. 애호박은 두께 0.5cm로 썬 다음에 은행잎 모양으로 4등분하고, 느타리 버섯은 밑동을 제거하여 한입 크기로 찢는다. 청양고추, 홍고추는 0.5cm 폭으로 어슷하게 썬다.

2. 달군 냄비에 들기름을 두른 후 차돌박이를 1분간 볶아 익힌다. 여기에 양념을 넣고 중불에서 20초간 볶다가 다시물을 넣고 끓인다.

3. 끓어오르기 시작하면 애호박, 느타리, 양파, 다진 마늘을 넣고 다시 끓어오르면 청양고추와 홍고추를 넣고 중불에서 3분간 더 끓인다.

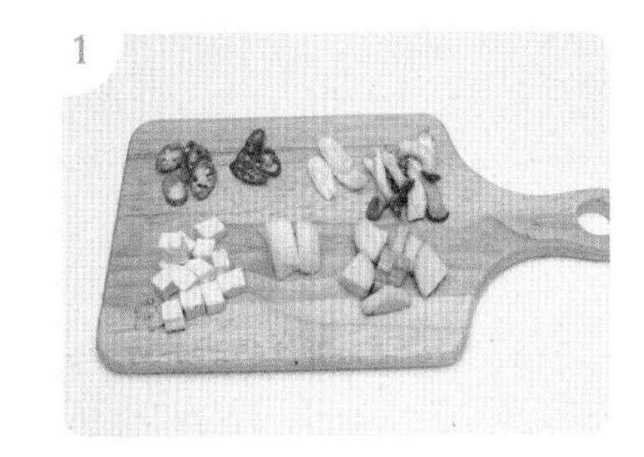
1

2

2

NOTE

청국장은 항암효과가 뛰어나고 혈압을 낮춰준다. 또한 변비 예방에도 좋고 다이어트에도 도움이 되는 우리 고유의 뛰어난 식재료이다.

건강한 일품요리, 청국장 건새우 볶음밥

- 분량 : 1인분
- 조리시간 : 15분
- 난이도 : 중급

"건새우는 찌개나 국에 넣어서 국물맛을 진하게 내주기도 하지만, 밥과 함께 볶으면 맛깔스러운 한끼 일품요리로도 끝내준답니다."

| 재료 |

- 밥 1공기(250g)
- 식용유 2큰술
- 마늘 2쪽
- 건새우 1/2컵
- 불린 표고 2개
- 청양고추 1개
- 청국장 3큰술
- 맛술 3큰술
- 된장 2작은술

1. 건새우는 팬에 볶아 비린 냄새를 없앤다.
2. 마늘은 편썰고 표고는 다진다. 청량고추는 원 모양으로 썬다.
3. 팬에 식용유를 두르고 마늘을 중불로 30초간 볶는다.

   ※Tip※ 마늘을 볶아 향을 낸 기름을 사용하면 쿰쿰한 청국장 냄새가 사라진다.

4. 건새우, 표고, 청국장, 맛술, 된장을 넣어 볶는다.
5. 밥을 강불로 볶다가 청양고추를 넣어 마무리한다.

   ※Tip※ 청양고추를 넣으면 칼칼한 맛이 있이 개운하다.

3

4

NOTE

냉동실, 냉장고에 넣어두었던 밥은 전자레인지에 데워 사용하는데 이때 식용유나 마요네즈를 표면에 발라준 후 데우면 볶을 때 밥알끼리 잘 떨어져 고슬고슬한 볶음밥이 된다.

청국장 김말이 튀김

- 분량 : 8개(4인분)
- 조리시간 : 20분
- 난이도 : 중급

"어릴 적 학교 앞 떡볶이 집에서 먹었던 김말이 튀김. 김 안에 당면만 넣어 튀겼는데도 떡볶이 국물에 찍어먹으면 왜그리 맛이 좋았던지. 청국장을 더해 영양과 추억과 맛을 동시에 느껴보도록 했습니다."

재료	속 양념	튀김옷
□ 청국장 4큰술	□ 간장 1작은술	□ 튀김가루 2/3컵
□ 당면 60g	□ 설탕 1작은술	□ 물 2/3컵
□ 깻잎 8장	□ 참기름 1작은술	
□ 달걀노른자 1개	□ 통깨 1작은술	
□ 마른 김 2장		
□ 식용유 2컵		

1. 당면은 찬물에 10분간 불려 끓는 물에 강불로 2분간 삶는다.

2. 볼에 청국장, 달걀노른자, 속 양념을 넣어 섞는다.

3. 김은 4등분해 사르고 김 위에 깻잎을 펴고 버무린 속 재료와 당면을 올린다.

4. 김 가장자리에 물을 바른 후 돌돌 만다.

5. 덧밀가루를 바른 후 튀김옷에 적셔 180℃로 예열한 식용유에 김말이를 넣고 중불로 1분간 튀긴다.

NOTE

일반적인 튀김 온도는 170~190℃인데, 온도계가 없을 경우 튀김 반죽을 약간 떨어트렸을 때 바닥을 치고 바로 올라오면 적정 튀김 온도이다.

청국장의 냄새가 어디로 갔을까 **청국장 고구마 크로켓**

- 분량 : 10개 분량
- 조리시간 : 20분
- 난이도 : 중급

"찐 고구마에 청국장을 섞어 작고 동그랗게 뭉쳐보세요. 황금갈색으로 바삭하게 튀겨 꼬치에 꿰어주면 청국장 싫어하는 아이들의 마음까지도 사로잡을 수 있답니다."

| 재료 |
- □ 청국장 60g
- □ 찐 고구마 100g
- □ 다진 김치 40g
- □ 식용유 3컵

| 튀김옷 |
- □ 밀가루 1큰술
- □ 달걀 1개
- □ 빵가루 1컵

| 요구르트 소스 |
- □ 플레인 요구르트 3큰술
- □ 마요네즈 1큰술
- □ 물엿 1큰술

1. 껍질을 벗기지 않은 고구마를 찜기에 넣고 열을 올려 20분간 찐다. 껍질을 벗겨 뜨거울 때 포크로 으깬다.

   ※Tip※ 고구마, 감자 등을 찔 땐 찜기를 미리 예열을 하지 않고 쪄야 겉과 속이 고르게 익는다.

2. 으깬 고구마, 청국장, 다진 김치를 고루 섞어 지름 3cm 정도의 작은 공 모양으로 뭉친다.

3. 밀가루 옷을 입힌 후 달걀을 입히고 빵가루를 입혀 밀착시킨다.

   ※Tip※ 밀가루-달걀-빵가루를 순서대로 입혀야 튀기는 중에 터지지 않는다.

4. 180℃로 예열된 식용유에 크로켓 볼을 넣고 1분 정도 노릇하게 튀긴다.

   ※Tip※ 속재료는 오래 익히지 않아도 되므로 겉만 노릇해지면 꺼낸다.

5. 꼬치에 꿰어 담은 후 미리 만들어 둔 요구르트 소스를 뿌린다.

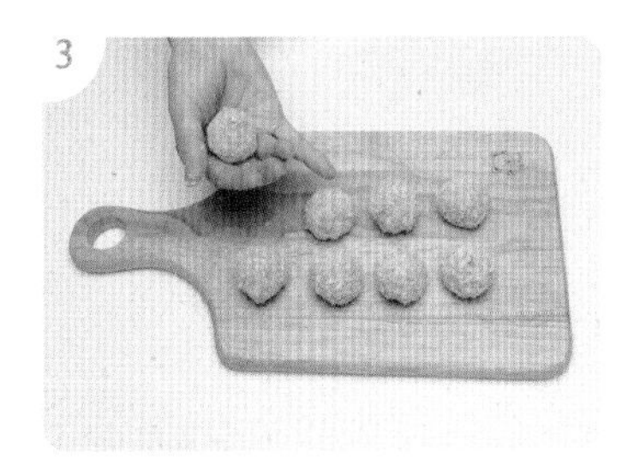

NOTE

빵가루 튀김에 밀가루와 달걀을 입히는 이유는?

밀가루를 입혀 본재료 맛과 수분을 빠지지 않게 하며 달걀은 밀가루와 빵가루를 잘 붙게 하는 역할을 한다.

구수하게 한 그릇 건새우 아욱 된장국

- 분량 : 2인분
- 조리시간 : 20분
- 난이도 : 하급

"된장을 풀어서 부들부들한 아욱과 감칠맛 나는 새우를 넣어 육수를 만들 필요가 없는 된장국이에요. 자극적이지도 않고 속 편하게 한 그릇 부담 없이 즐길 수 있는 요리랍니다."

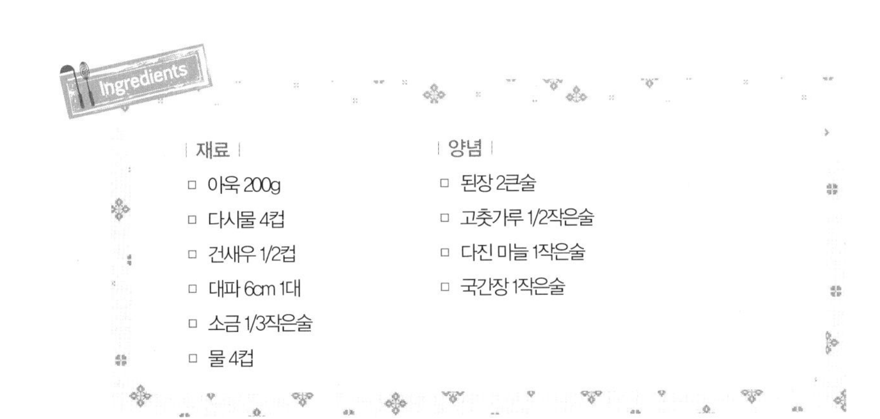

| 재료 |
- 아욱 200g
- 다시물 4컵
- 건새우 1/2컵
- 대파 6cm 1대
- 소금 1/3작은술
- 물 4컵

| 양념 |
- 된장 2큰술
- 고춧가루 1/2작은술
- 다진 마늘 1작은술
- 국간장 1작은술

1. 아욱은 손으로 거친 줄기 부분을 자른 후 질긴 섬유질을 벗겨낸 다음 볼에 물을 자작하게 담은 후 손으로 주물러서 초록색 물이 빠져 나올 정도로 비벼준다.

   ⁑Tip⁑ 아욱을 손질해 주물러서 비벼 주면 아욱의 풋내가 제거되고 질감이 연해진다.

2. 손질한 아욱은 물 4컵과 소금 1/3작은술을 넣고 1분 정도 데쳐서 찬물에 헹군 후 물기를 짜 3cm 크기로 자른다. 대파는 0.5cm 폭으로 어슷하게 썬다.

   ⁑Tip⁑ 아욱이 없다면 얼갈이배추나, 배추, 시금치 등의 재료로 대체해 끓여도 맛이 좋다.

3. 예열시킨 마른 팬에 건새우를 1분간 볶아 키친타월에 올려 놓고 지저분한 다리, 더듬이 능을 부벼 털어준다.

   ⁑Tip⁑ 건새우를 팬에 한 번 볶은 후 끓여주면 지저분한 불순물도 제거되고 비린내도 사라져 국물 맛이 훨씬 더 깔끔하다.

4. 냄비에 다시물을 넣어준 후 양념을 푼 다음 건새우를 넣고 끓인다. 끓기 시작하면 그때부터 3분 정도 더 끓여준다.

5. 다시 끓어오르면 아욱을 넣고 7분간 더 끓인다. 거의 다 끓으면 대파를 넣고 1분간 더 끓인다.

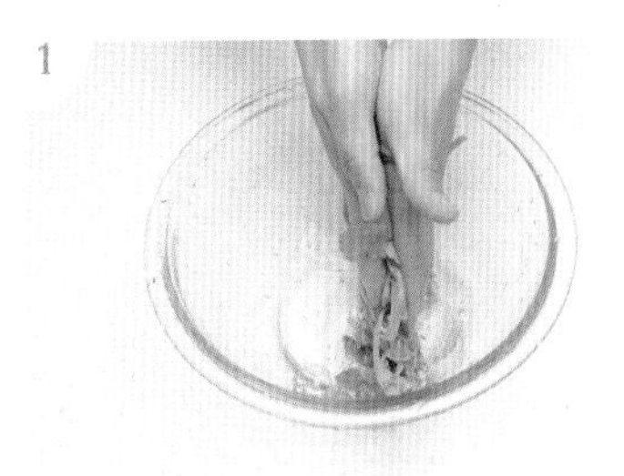
1

4

5

NOTE

건새우는 지방이 적어 생새우에 비해 단백질 함량이 높고 칼슘도 풍부하다. 철분과 비타민도 풍부해서 성장기 아이들에 좋은 영양 식재료이다. 아욱은 우리 몸에 좋은 비타민 A, 칼슘, 인이 풍부하다.

시원하고 구수한 국물 맛이 일품 얼갈이배추 된장국

- 분량 : 2인분
- 조리시간 : 20분
- 난이도 : 하급

"추억을 그리게 하는 음식이 있습니다. 연한 얼갈이배추와 구수한 된장 국물이 친근함을 주는 그런 요리인데요. 얼갈이 배추된장국 오늘 저녁 식탁 위에 올려 보면 어떨까요?"

| 재료 |

- 데친 얼갈이배추 200g
- 쇠고기 80g
- 참기름 1작은술
- 물 4컵
- 대파 1/2대
- 팽이버섯 1/2봉
- 홍고추 1/3개
- 청고추 1/3개

| 배추 양념 |

- 된장 2큰술
- 다진 마늘 2작은술
- 고춧가루 2작은술
- 참치액 2작은술

1. 데친 얼갈이배추는 물기를 짜낸 후 5cm 길이로 잘라 배추 양념을 한다.

2. 냄비에 참기름을 두르고 쇠고기를 볶다가 양념한 배추를 넣어 2분간 중불로 볶는다.

※Tip※ 쇠고기를 볶은 후 양념한 배추를 넣어 볶으면 쇠고기 누린내가 덜하다.

3. 물 4컵을 넣어 끓으면 뚜껑을 닫아 약 20분 정도 중불에서 더 끓인다.

※Tip※ 뚜껑을 닫고 끓여야 수분 감량이 적어 중간에 물을 추가하지 않아도 된다.

4. 대파, 팽이버섯, 청홍고추를 넣어 마무리한다.

NOTE

얼갈이 배추 데치는법

물 10컵에 굵은 소금 1작은술을 넣고 끓으면 얼갈이 배추를 넣는다. 1분 후에 뒤집어 3분간 더 데친 후 찬물에 헹군다. 물기를 꼭 짜 냉동실에 넣어두고 필요할 때 사용하면 좋다.

불고기의 원조 된장소스 돼지구이(맥적)

- 분량 : 2인분
- 조리시간 : 40분
- 난이도 : 중급

"된장소스 돼지구이(맥적)은 고구려 시대부터 즐겨 먹었던 요리예요. 고추장이나 간장 양념으로 재워진 고기에 익숙한데요. 독특하게 된장으로 양념을 해 고기의 잡내는 잡아주고 고소한 맛은 살렸어요."

| 재료 |

- 구이용 돼지목살(혹은 등심) 300g
- 대파 2대(가늘게 채썰기)

| 된장양념 |

- 된장 2큰술
- 올리고당 3큰술
- 청주 1큰술
- 다진 마늘 1큰술
- 생강즙 1작은술
- 들기름 1큰술
- 깨소금 1/2작은술
- 후춧가루 약간

1. 돼지고기는 0.8cm 두께로 썰어 고기용 방망이로 두들겨 펴준다.

   ※Tip※ 방망이가 없다면 칼등으로 두들긴 후 칼끝으로 힘줄을 끊어 연하게 해준다.

2. 파는 얇게 채 썰어 찬물에 담가둔다.

   ※Tip※ 찬물에 담가두면 파 특유의 아린 매운맛도 제거가 되고 아삭한 식감이 살아난다.

3. 양념을 만들어 고기에 발라 30분간 재워둔다.

4. 예열시킨 팬에 고기를 올려 중약불에서 타지 않도록 뒤집어가며 앞뒤로 노릇하게 구워준다.

   ※Tip※ 고기를 구울 때는 중약불에서 구워야 양념이 타지 않고 골고루 잘 구워진다.

5. 그릇에 담은 후 2와 함께 곁들여낸다.

NOTE

캠핑이나 야외 놀러 갈 때는 고기를 재워 석쇠나 그릴에서 구워 먹으면 훨씬 더 맛있는 풍미를 느낄 수 있다.

만만한 밑반찬 꽈리고추 된장 들깨찜

분량 : 2인분
조리시간 : 15분
난이도 : 하급

"꽈리고추를 살짝 찐 후 구수하고 달착지근한 된장들깨양념에 버무려 밥 위에 척척 올려 먹으면 그야말로 밥도둑이 따로 없죠."

재료	된장들깨 양념	
□ 꽈리고추 150g	□ 된장 1½큰술	□ 들깨가루 2큰술
□ 밀가루 3큰술	□ 설탕 1큰술	□ 고춧가루 1작은술
□ 홍고추 1/3개	□ 물엿 1작은술	□ 간장 1작은술
□ 풋고추 1/3개	□ 다진 마늘 1작은술	□ 참기름 1큰술
□ 밥 1공기	□ 대파 5cm 1대(다지기)	□ 통깨 1/3작은술

1. 꽈리고추는 꼭지를 떼어내고 포크로 구멍을 낸다.

※Tip※ 꽈리고추에 구멍을 내면 고추 속에 찜 열기가 빨리 전달된다.

2. 꽈리고추에 밀가루를 입혀 열이 오른 찜기에 넣고 2분간 찐다.

※Tip※ 밀가루를 입혀 찌면 꽈리고추의 수분증발을 막아준다. 비닐봉지 안에 밀가루와 꽈리고추를 함께 넣고 밀봉한 뒤 흔들어 주면 밀가루가 골고루 입혀지며 밀가루의 허실이 적다.

3. 된장들깨 양념을 분량대로 섞어 고추 찐 꽈리고추를 버무린다.

※Tip※ 꽈리고추의 열기가 완전히 날라간 후 버무려야 질척거리지 않다.

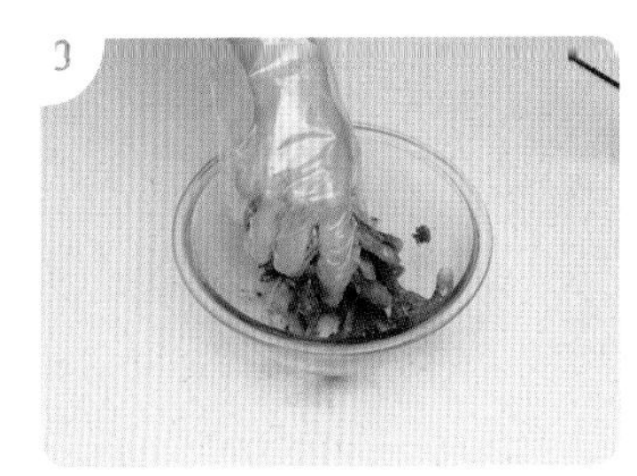

NOTE

꽈리고추는 일반 고추보다 덜 맵고 식감이 연하여 아이들도 어렵지 않게 먹을 수 있어 반찬으로 좋다. 또한 비타민과 식이섬유소가 풍부하여 무더운 여름 지친 몸에 활력을 넣어준다.

좋은 재료보다
더 맛있는 요리법은 세상에 없습니다

샘표
요리에센스
연두
순

식기 및 장소 협찬

모리다인 : http://www.moridain.com/
도자기숲 : http://dojagisoop.com
롯데백화점 중동점

롯데문화센터
LOTTE CULTURE CENTER

사진

commercial photo studio
FOOD YUN

푸드윤
실장 윤세한
Mobile : 010·8443·4321
Mail : foodyuns@naver.com
Home : www.foodyun.com/
경기도 광명시 하안동 260

All that 두부·BEANS

1판 1쇄 발행 2014년 3월 4일

저　　자 | 박지영, 최희경
발 행 인 | 김길수
발 행 처 | (주)영진닷컴
주　　소 | 서울특별시 금천구 가산동 664번지
대륭테크노타운 13차 10층
대표전화 | 1588-0789
등　　록 | 2007. 4. 27. 제16-4189호

가격 13,000원

ISBN 978-89-314-4593-0